AMIGOS OUVINTES

Arnaldo Jabor

CBN LIVROS

AMIGOS OUVINTES

EDITORA GLOBO

SUMÁRIO

APRESENTAÇÃO

As palavras faladas voam e as escritas ficam *(verba volant scripta manent)*. O que falo há vários anos na CBN venta sobre o Brasil em AM e FM todos os dias. A repercussão tem sido maior que a da TV, porque o rádio é ouvido com atenção, longe das telas abertas nas salas.

Esta coletânea de textos, sem rigor literário, mantém a espontaneidade, às vezes até maluca, de meus comentários diários na rádio. É prosa falada em que me coloco ali, quente no microfone, mais como cidadão do que como um escritor de artigos de jornal.

Há até uma irresponsabilidade poética no que faço, o que gera comentários em forma de paródia e cria uma expectativa de cômicas surpresas entre os "amigos ouvintes".

Se os textos escritos almejam a literatura, o texto falado anseia pelo "comício".

Este livro tenta preservar alguma coisa útil em meio à tagarelice do dia a dia. Acho que um banho de efêmero faz bem à literatura.

Assim, me coloco como repórter e prova do crime. Ninguém está fora do jogo. Ser "digno" não basta. É preciso incluir-se entre os loucos que ainda acreditam na razão, no país. Pode ser que reste alguma sensatez, talvez pela exaustão dos erros nacionais, mesmo que seja um resto, um bagaço de razão no fim de nossa vergonhosa caricatura.

Mesmo os vexames e os escândalos cotidianos têm a "contribuição milionária" de mostrar que não há julgamentos definitivos sobre o Brasil. Somos muito estranhos. Como disse alguém, o Brasil é o inferno dos cientistas políticos e o paraíso dos jornalistas.

Por isso, desisto de ser definitivo, lapidar, e tento ser carrasco e vítima, dentro e fora; por isso, tento me colocar na encruzilhada entre mim como indivíduo e a vida social como um todo; por isso, coloco minha cabeça como um despacho nessa encruzilhada. O resultado está aí.

Arnaldo Jabor

POLÍTICA
NACIONAL

A política nacional não piorou nos últimos anos. Não é estática, mas endêmica. É uma repetição de quatrocentos anos de erros. O Brasil foi criado em cima de leis sopradas lá de Portugal, que colocaram este país sob um regime de patrimonialismo secular.

Suas bases são: Estado fortíssimo que manda em tudo e deixa a sociedade sem poder. Pior, gera os donos do poder. As oligarquias regionais tomam para si o Estado como se ele fosse patrimônio próprio. Assim, a sociedade vive para o Estado, e não o contrário, como deveria ser.

Tudo o que acontece na política brasileira é a repetição cansativa de um mesmo erro de raiz.

O FILHO DO POVO

No dia 28 de outubro de 2002, o Brasil começou a mudar. Para pior? Não – só Deus sabe o que vai acontecer, mas a vida é assim, a história se move pela vontade do povo. Lula era um grande desejo nacional. Lula se tornou o mascote de nossa esperança, e – como o chamou *[Leonel]* Brizola – foi o sapo barbudo que virou príncipe. Lula é o velho desejo de se ter um filho do povo no poder. É muito interessante que tenhamos essa experiência, já que nos últimos quatro séculos houve a exclusão histórica dos desejos populares, sempre comandados pelas oligarquias.

Lula emociona a população pelo seu jeito afetivo. É sempre considerado um grande negociador e, hoje, muito mais maleável diante da realidade. Lula é um mito operário. Talvez veja com clareza dados óbvios que ficaram escondidos sob muitos números – superávits, índices-Brasil, contas de mercado. Lula talvez contemple mais aspectos humanos esquecidos pela fria tecnologia do mundo mercadológico. Lula poderá trazer uma época que tínhamos nos anos 1960, antes do golpe, uma época de grandes utopias, de desejos mais nacionalistas. Se isso for vivido com sabedoria, e não com excesso e onipotência, poderá existir uma nova era no país, neste momento em que o mundo está arrogantemente imperial.

Lula poderá ser um antídoto contra o perigo da Alca, esse plano americano para limitar nossa soberania. Lula poderá trazer de volta um país que andou esquecido pelo excesso de interdependência internacional. O perigo que ronda a vitória do PT será a tentação de botar para quebrar, o tal do machismo revolucionário. Outro perigo é a sabotagem das elites. E também, talvez até pior, a sabotagem de alguns malucos que vivem dentro do PT – pessoas que pensam que ainda estão em 1917, na Rússia, tomando Brasília como se fosse São Petersburgo.

Boa sorte, Lula. Que Deus lhe dê luz e que o grande Marx também lhe ilumine com a luz da sutileza histórica que sempre ensinou.

Boa sorte, Lula. E não se esqueça de que – como dizia Mao Tsé-Tung – a paciência é uma virtude revolucionária.

28-10-2002

PRODUTORA DE MISERÁVEIS

O Ministério da Justiça apresentou um projeto para acabar com a chamada "indústria das liminares". A decisão foi tomada depois de o ministério ter recebido denúncias de empresas que perderam 9 bilhões de reais em processos judiciais. Algumas nem sequer tiveram o direito de defesa. Na "indústria das liminares", juízes usam de forma arbitrária a tutela antecipada para lesar empresas privadas. Alguém entra com uma ação contra a empresa sem que o processo tenha terminado e o juiz autoriza o bloqueio e o saque do dinheiro da conta. Isso causa prejuízos às empresas. É um belo projeto do Ministério da Justiça, que impede que uma empresa roube a outra com a ajuda de um juiz sem-vergonha.

Mas esse é apenas um ramo da pujante indústria nacional. Muito mais grave é sua atividade principal, a de lesar o patrimônio público. A grande maioria das liminares são contra o Estado brasileiro. O cidadão se diz prejudicado por uma dívida cobrada, ou por um imposto, processa o governo e imediatamente recebe a absolvição de culpa. Há milhares de sem-vergonhas que vivem disso.

Muitos chegam a receber indenização se o banco cobrar ou executar alguma dívida, alegando danos morais. Além da corrupção de alguns juízes, esses homens contam com a ajuda de seu maior aliado: o tempo. Porque a justiça é lenta e o Estado perde sempre. Você tem ideia de quanto esses malandros devem ao Brasil? Cento e vinte bilhões de reais. E a ONU se escandaliza com a nossa miséria, mas não explica a sua origem. A "indústria das liminares" é uma grande produtora de miseráveis pelo Brasil afora.

11-12-2002

TRAUMAS E DEFEITOS IMPORTADOS

Hoje, exatos 503 anos atrás, em uma praia do Nordeste, chegavam as caravelas do senhor Pedro Álvares Cabral e sua equipe de executivos e assessores. Acho meio estranho que o dia da descoberta do país não seja feriado. Ontem, foi um dia livre por causa da morte de Tiradentes. Por que comemorar o fracasso de uma revolução, e o esquartejamento de seu líder, e não celebrarmos o dia em que foi dado o pontapé inicial de nosso destino? Porque foi isso o que aconteceu. Nesse dia, começaram a se desenhar os erros e os acertos – mais erros do que acertos – que formaram a vida de hoje. Lá, em Porto Seguro – terra não dos índios, mas dos caciques que veraneiam em casas de luxo, olhando o monte Pascoal, lá onde as peruas andam de biquíni com seus burgueses barrigudos –, estavam nossas índias nuas para o êxtase dos "portugas", que chegavam depois de três meses no mar, passando sede e sentindo fome de comida e de amor.

A carta de Pero Vaz de Caminha mostra a visão do paraíso que foi a descoberta de nosso litoral para os executivos e os assessores do comandante Pedro Álvares Cabral. Lá, foram depositadas as sementes do que somos hoje. Portugal trouxe para cá, além de suas caravelas, o espírito de um país em plena luta contara o progresso na Europa. A grande mudança que acontecia na Renascença era vista com maus olhos por Portugal, um país que ia na contramão da mudança política no continente. Em vez da modernização que a reforma protestante faria no século XVI, Portugal não queria a liberdade que se desenhava primitivamente na Europa. Não queria o fim das regras do mundo medieval que acabava. Não queria os primeiros sinais do capitalismo primitivo. Tudo em Portugal era da Coroa, tudo era patrimônio dos que viviam em volta dos reis. A sociedade era um mero conjunto de colonos, bando de meeiros a serviço do rei e de um Deus católico que estimulava a pobreza e a obediência.

Para cá veio, então, o desenho de um país semelhante à estrutura de Portugal. Para cá vieram os vícios que uma estrutura não democrática provocam. Burocracia, corrupção, irresponsabilidade pública, oligarquias, falta de união da sociedade civil – em suma, traumas e defeitos que estão aí até hoje. O principal desses vícios foi um tipo de regime em que o Estado sempre mandou em tudo e impediu a democratização pública, esta comum em nações não coloniais que se desenvolveram muito rapidamente, como as anglo-saxônicas.

Hoje, somos os adultos dessa infância torta. Nossa maravilhosa cultura de três raças foi plasmar um desejo de liberdade e de democracia que talvez agora, quinhentos anos depois, estejamos mais próximos de realizar. Já podemos ver a liberdade raiando em nosso horizonte. Só agora o velho patrimonialismo português está agonizando por influência do mundo moderno. Por isso, viva o Brasil. Como cantou o democrático e genial Lamartine Babo com a alegria que sempre desejamos: "Quem foi que inventou o Brasil?/ Foi seu Cabral! Foi seu Cabral!/ No dia 22 de abril, dois meses depois do carnaval".

22-4-2003

LADRÕES,
PAREM AGORA!

Você não acha que o Brasil se mexe apenas para piorar? Explico. Quando acordo, olho em suspense o jornal. Será que há alguma catástrofe nova que vai nos jogar no abismo? Ah, não – oba! O dólar baixou, o risco Brasil melhorou. Então posso tomar meu café aliviado, ou seja, se a casa não cair já é uma maravilha. Quando acontece uma crise nacional ou internacional que nos atinge, tudo parece se mover rapidamente; manchetes explodem na tevê, medidas enérgicas, correria, até que as coisas voltam ao normal e tudo fica em câmera lenta, parado, parecendo até que o Brasil é uma Suíça ou uma Noruega, países onde nada acontece na doce vivência da riqueza econômica.

Por que é assim? Bem, porque governar o Brasil, hoje, é apenas para impedir que ele se destrua. Os três poderes se anulam e duelam o tempo todo, um tentando desmontar a autoridade do outro. As medidas provisórias, que eram o único instrumento rápido do Executivo, já foram castradas, inclusive com o voto do PT na gestão passada, que agora está desesperado tentando voltar atrás. As instâncias do Judiciário são infinitas e eternas, nunca terminativas. O sujeito rouba uma galinha e a questão se arrasta até o Supremo Tribunal Federal. Uma lei para ser votada no Congresso tem milhões de destaques, palavrórios, conchavos e, se for matéria constitucional, passa por vários turnos, na Câmara, no Senado, maiorias de dois terços, tudo o que pode evitar a rapidez, a eficiência.

Dizem que o Lula e a equipe vivem irritados com demandas de velocidade da oposição. Todo mundo fala: "Anda, baixa os juros! Faça isso logo! Faça aquilo!". O Lula se reúne sem parar, trabalha feito um maluco, e sente-se como em um engarrafamento – gente buzinando atrás com o trânsito parado na frente. É por isso que o Oswaldo Aranha *[ex-ministro da Justiça e da Fazenda na década de 1930]* dizia que o Brasil só crescia entre meia-noite e seis da manhã, enquanto todo mundo estava dormindo.

Há dez anos só ouvimos falar de reformas urgentes, e ninguém consegue fazê-las. Será que os idiotas e os oportunistas que tentam impedir as reformas óbvias, necessárias, técnicas, não percebem que, se o Brasil crescer, tirando os obstáculos da previdência e do atraso tributário, todos poderão ganhar mais dinheiro? Existem ladrões que estão preocupados com isso e terão até lucros novos. Ladrões brasileiros, parem de sabotar reformas contra seus interesses. Sejam modernos, acreditem no futuro, porque, se o país melhorar, vocês poderão até roubar mais.

28-5-2003

TARTARUGA VERSUS PURO-SANGUE

O problema do governo Lula, como foi o de Fernando Henrique, é que a população acha que o Executivo executa. Não entende que o ritmo da máquina do poder é uma tartaruga, e o desejo popular, um puro-sangue. Lula está cercado. Os Babás reclamam *[referência ao deputado do* PSOL *João Batista Oliveira de Araújo, cujo apelido é Babá]*, a CUT chia, os intelectuais fazem beicinho e choram, o vice-presidente posa de patrão. E todo mundo reclama: "Sai ou não sai essa revolução?". O MST já está fazendo a revolução. Já está demarcando terras invadidas no peito, sem licença do Incra, como se o Stédile *[João Pedro, membro da direção nacional do* MST*]* fosse o Che Guevara, e o Rainha *[José Rainha Júnior, que foi coordenador do* MST*]*, o Mao Tsé-Tung.

No governo Lula, as invasões dobraram. Eram cinco por mês no tempo do Fernando Henrique, e agora são treze. Pensam assim: "Lula é nosso amigo, logo é mais fácil botar para quebrar no governo dele". Essa gente está explorando cruelmente o drama do Lula, que fica de mãos atadas; como vai baixar o pau nesses provocadores? Porque o MST, que era um movimento bacana com a intenção de fazer a reforma agrária, virou um bando de pobres homens ignorantes sendo comandados e explorados por oportunistas e doidos revolucionários, que querem o socialismo soviético ou chinês no Brasil.

É incrível a ignorância das chamadas forças progressistas. Vão encurralar o Lula como fizeram com o Fernando Henrique. E talvez inviabilizem a chance de reformas e da social-democracia no Brasil. Depois vão dizer: "Ah, foi o FMI, a direita, o imperialismo", quando foram os amigos burros e malucos do Lula que destruíram seu governo. Lula diz assim: "Apressadinho come cru". Mas seus amigos, que na realidade são inimigos, respondem: "Vamos devagar com as reformas, devagar se vai ao longe". Como já disse, todo mundo pensa em si, todo mundo gosta de comer abará, mas ninguém quer saber o trabalho que dá.

25-6-2003

UM PAÍS SEM DIREÇÃO

Lula já disse que nunca foi comunista. Lula foi o primeiro líder operário a ter importância teórica no pensamento progressista do Brasil. Quando lhe perguntaram, em um inquérito, se era comunista, respondeu que não. "O que o senhor é, então?", indagou o tira. Ele respondeu: "Sou torneiro mecânico". Essa resposta é um divisor de águas, porque, quando cresceu como líder no ABC, Lula trouxe uma grande mudança para a esquerda brasileira. Com ele, acabou a idiotice ideológica, a "ideolotice" talvez, a "esquerdobabaquice", em que intelectuais de classe média se sentiam Guevaras e Lenines, enchendo a cara nos bares, mesmo depois do evidente e trágico massacre dos guerrilheiros urbanos pela polícia do Exército.

Lula trouxe o realismo político e a luta pelo progresso no país, a visão do possível, da política de resultados, apesar dos oportunistas que lotaram o PT depois. Um comentário, esse sim, de um comunista tardio, oportuno leninista, "mao tsé-tungzinho" do mato: João Pedro Stédile fez ataques a Palocci, o ministro da Fazenda, dizendo que ele engana o Lula e que a política econômica do país não vai dar certo nunca. Incrível como essas pessoas desejam o caos para o Brasil. E tudo em nome do povo, em nome dos pobres sem-terra que esse homem leva para aventuras sem futuro.

Palocci *[Antonio]* está segurando a barra da complicada macroeconomia do Brasil e, se não fosse ele, estaríamos batendo panela nas ruas, como querem os provocadores. Existem, hoje, dois grandes perigos rondando o país: um deles é o dos guerrilheiros do "quanto pior, melhor", e o outro é a volta do fisiologismo, da velha política do atraso, cujo partido mais representativo é o PMDB.

Há fortes indícios de que se organizam fisiológicos, demagogos e populistas para que o atraso volte a comandar e imperar no Brasil, depois de dez anos de uma política mais ética que houve no governo de Fernando Henrique e que há no de Lula. Esses homens que se preparam no escuro querem a volta de um país sem projeto, sem rumo. Odeiam que Fernando Henrique e Lula tenham um projeto social-democrata para o Brasil. A união do caos com o atraso, um provocando o outro, é tudo o que os fisiológicos desejam, e os comunistas também. Jader Barbalho *[que renunciou ao cargo de presidente do Senado em 2001]* já está entrando na sombra, festejando com todo o PMDB, às gargalhadas, a volta do evangélico Garotinho *[Anthony, duas vezes governador do Rio de Janeiro]* nas hostes do ex-sério partido de Ulysses *[Guimarães, ex-presidente nacional do PMDB]*. Este é o perigo: a união da ruptura com a impostura. Que Deus nos proteja.

28-8-2003

E LÁ SE VÃO
AS ARARINHAS-AZUIS

Você sabia que um grama do veneno da aranha armadeira pode ser usado como analgésico e vale 40 mil dólares no mercado negro? Um pouquinho do veneno dessa aranha enriquece um sujeito, se ele não for mordido. Você sabia que o Brasil perde cerca de 1 bilhão de dólares por ano com bichinhos que são roubados de nossas florestas, sem contar o restante, sementes incluídas? Muitos remédios, vendidos por preços exorbitantes aos brasileiros, foram tirados de nossa flora, como o extrato de espinheira-santa para problemas de estômago, o extrato de pilocarpo para glaucoma e o curare, veneno usado nas flechas dos índios como relaxante muscular.

Quem são os ladrões? São sujeitinhos que chegam como turistas, de camisa florida, e fingem que vão visitar a Amazônia para ver as belezas tropicais. Lá, chegam a "alugar" criancinhas para fazer a coleta dos bichos, das plantas, de sementes. Escondem tudo no bolsinho, na malinha, e se mandam de volta para nos tirar milhões de dólares por ano.

Há pouco tempo, não tínhamos nada, nenhuma lei para nos proteger. Até surgir uma medida provisória para impedir o acesso a nossas riquezas. Mas, com a edição dessa medida, tudo virou de cabeça para baixo. Não que a intenção da lei não seja boa – é boa. O problema é que ela criou tantas dificuldades de acesso à nossa flora e fauna para fins de pesquisa científica que nenhum cientista brasileiro consegue trabalhar com facilidade, tantas são as exi-

gências. Isso é bom para os piratas, porque ladrão não precisa de burocracia: entra no peito e pronto. Lá se vão as ararinhas-azuis, os micos-leões-dourados, as aranhas.

O prejuízo é tamanho que o Ministério do Meio Ambiente, junto com a Sociedade Brasileira para o Progresso da Ciência (SBPC), já está aperfeiçoando uma nova lei que prejudique os piratas e não atrapalhe os cientistas. Porque, com especialistas trabalhando no campo, a ação fica mais difícil para ladrões internacionais.

Somos um país imenso e rico e, ao mesmo tempo, desprotegido. Desprotegido pelo nosso tamanho, mas também pela cegueira dos políticos. Principalmente na Amazônia, onde, quando não estão metidos na malandragem, esses senhores estão atentos a outras piratarias políticas, como na Zona Franca de Manaus. Mas isso já é outra pirataria.

10-9-2003

OS JEITINHOS
DE GOVERNAR

Outro dia, a TV Globo fez uma pesquisa sobre a diferença entre o jeitinho brasileiro e a corrupção. Muita gente acha que são a mesma coisa. Mas eu acho que há jeitinhos e jeitinhos. Existe um jeitinho sem-vergonha de passar por cima do interesse público para ter vantagens pessoais – é a chamada picaretagem. Mas existe um jeitinho de se governar um país possível, e não achar que o Brasil é uma Suíça tropical.

Não é mistério para ninguém que é impossível governar o Brasil sem um grande exército de intermediários, lobistas, transitando entre os partidos. Em Brasília não há inocentes, todos são cúmplices. Mas há jeitinhos honestos de governar. Vejamos um exemplo: se o presidente fizer um pequeno favor para conseguir um grande progresso – que se faça o jeitinho, senão não governa.

Há também a honradez dos fariseus, a dignidade de opereta, que não passa de um sórdido jeitinho disfarçado de pureza. Muitos sem-vergonhas estão bancando virgens escandalizadas em um bordel, pedindo a cabeça de homens sérios, para impedir o projeto social-democrata do PT. Trata-se da "síndrome da farinha do mesmo saco". Querem provar que todos são iguais a eles. É o socialismo da falta de vergonha. Berram: "Somos todos iguais, nós e o PT". Por isso, afirmo: essa gente que quer CPI de bingo só pensa em acabar com o governo Lula para que volte a zorra geral neste país. Uma CPI moralista agora seria a grande vitória dos imorais.

4-3-2004

CHAMEM OS ENCANADORES DA REPÚBLICA

Ministros têm reclamado muito da burocracia do Estado brasileiro. O ministro Luiz Fernando Furlan, do Desenvolvimento, Indústria e Comércio Exterior *[Furlan deixou o ministério em 2008]*, falou do inferno que é o labirinto paralisador da burocracia em nossa terra. É a mais trágica verdade. Todo mundo fala de desemprego, de reforma agrária, de equilíbrio fiscal, mas ninguém combate concretamente esse monstro que é a burocracia, tolerada como mal sem solução.

Talvez a burocracia seja o maior problema deste país, porque é uma espécie de visgo, de gosma, de meleca que se deposita nas brechas da produção e da administração, e emperra tudo. Esse monstro melequento fecha todas as saídas para o progresso.

Paralisa a eficiência em um mundo veloz como o de hoje. A burocracia nasceu no Brasil Colônia, cresceu no Império e hoje engessa a República. A burocracia veio para impedir que a sociedade colonial se desenvolvesse, para proteger os interesses da Coroa portuguesa. Jamais quiseram nosso desenvolvimento. Era para sermos empregados, nunca empresários. Era a expressa vontade de nos manter dependentes e burros, parados, escravos do reino.

A burocracia é irmã da corrupção e do clientelismo. Cria dificuldades para vender facilidades. Pior: é uma forma de poder mais suja, feita de impedimentos e proibições. É o passado impedindo o presente. Na exportação, por exemplo, impede o fluxo de mercadorias para o exterior. O grande Juscelino Kubitschek formou os famosos grupos executivos, os atalhos para furar o cerco. Novas regras, leis ágeis. E conseguiu, em cinco anos, começar a industrialização do país.

Por que o PT, que não sabe o que fazer, não tenta ao menos limpar esses trilhos, abrir caminhos, arejar a administração? Por tradição, os petistas são os maiores burocratas, com mania de se reunir para tudo, com medo de errar, de serem chamados de comunas ou de antidemocráticos. Mas podiam ao menos tentar, como se tentou com sucesso no tempo de Juscelino e depois no do ministro Hélio Beltrão *[ocupou o Ministério da Previdência Social no governo de João Baptista Figueiredo e ficou conhe-*

cido como "ministro da desburocratização"]. O Brasil está entupido. Precisamos chamar os encanadores da República.

28-6-2004

DEUS CASTIGA

Não tenho nada contra religiões, sejam evangélicas ou não. Apesar de ser ateu, acho que a floração estranha de evangélicos no Brasil vem cumprindo uma função social que a sociedade civil e o Estado não cumprem. Ou seja, dá um pouco de paz e esperança, de sensação de cidadania, aos pobres brasileiros. Muita gente sente-se melhor quando fica de mãos dadas diante de Jesus e é guiada por pastores – não por receber benção ou milagre, mas pelo simples fato de fazer parte ali de uma sociedade qualquer.

Embora existam evangélicos decentes, há também evangélicos de mercado, bando de canalhas que criou igrejas para faturar uma grana dos pobres. Bispos e padres que não acreditam em Deus são cobiçados por políticos que querem fazer o milagre de transformar nada em muita grana, querem multiplicar seus pães, em poucos meses, por meio de roubo e fisiologismo, como fizeram os vereadores do Rio que triplicaram seu patrimônio em cinco anos de mandato.

Em época de eleição, a caçada aos votos começa em rincões místicos das cidades. Os eleitores evangélicos são disputados a tapa. Só em São Paulo são 16% do número de eleitores. Todos os candidatos a prefeito ficam de olhinhos revirados para Jesus, cantando e orando com cara de beatos, para descolar votos. Tremendos ateus se jogam no chão e exorcizam demônios, vagabundos e ladrões batem no peito e se arrependem em público. Criminosos se convertem aos berros de "Jesus!".

Em época de votos, todos acreditam em Deus. No estado do Rio, onde reinam dois bispos, e voltaram a acreditar em Adão e Eva e na cobra, está cheio de candidatinhos com auréolas de santos. É terrível ver como a democracia, apesar de ser o melhor tipo de regime que existe, também nos obriga a ver o lixo de que são formados os representantes do povo. Mas Deus, Deus está vendo essa hipocrisia toda aqui embaixo. E, como sabemos, Deus castiga.

23-7-2004

SOU
SEU PATRÃO!

Quando acontecem eleições para o comando das prefeituras, aparece, diante de nossos olhos, a doença política que as assola. Há prefeituras que, em quatro anos, tiveram cinco prefeitos – uns cassados, outros mortos, outros foragidos. É uma maracutaia geral nos municípios. Isso ocorre porque a população não vigia seus políticos. Somente a população poderá evitar a canalhice e a roubalheira.

Por isso pergunto: você tem consciência de que prefeitos e vereadores são empregados da população? Não? No Brasil, o sujeito vira prefeito ou vereador e já começa a olhar por cima dos cidadãos. Perguntam bem na nossa cara: "O senhor sabe com quem está falando? Sou vereador! Sou prefeito!". E isso é comum nos 5.700 municípios do país – o que já é um número obsceno. A maioria deles é cabide de emprego e quase todos são caixas-pretas em que ratazanas roem a nação.

No Primeiro Mundo, nos Estados Unidos e na Europa, políticos são servidores públicos. Aqui também. Só que ninguém sabe disso. Quando chega a hora de votar, chega também a hora de a população crescer. E de enfrentar os maus dirigentes olho no olho e perguntar a eles: "O senhor sabe com quem está falando? Com um cidadão, seu patrão!".

27-9-2004

TALVEZ O PT
CAIA NA REAL

O governo acaba de lançar as moedas de um real. É prova de coragem, porque houve um tempo em que elas derretiam na mão e nem mendigo aceitava como esmola – jogava de volta na nossa cara. A inflação era de 80% ao mês. Mesmo com o *tlac, tlac, tlac* das maquininhas de colar etiquetas de preços nos supermercados, não confiávamos no surgimento do Plano Real. Hoje, vemos que é uma moeda forte – e, no entanto, o plano foi promulgado contra o descrédito de todos. Todo mundo desconfiava do real, depois de tantos planos econômicos fracassados.

O Plano Real teve uma importância muito grande, pois, além de ter acabado com a inflação, foi das poucas coisas que deram certo neste país. Criou uma fé nova, um otimismo que não existia antes, porque o fracasso sempre foi mania nacional. Sempre foi melhor desconfiar do que se decepcionar. Então, todo mundo desacreditava antes, como espécie de vacina contra a desilusão.

Até hoje o real está de pé. E a maior vitória do governo Fernando Henrique foi mostrar à consciência pública que o óbvio tinha que ser respeitado, mais do que aquelas velhas utopias. O real era também o mundo real. Mas, na época, o PT foi contra o plano. Depois tentou derrubar a Lei de Responsabilidade Fiscal. A ironia é que, hoje, é a única peça de sucesso do governo Lula. A oposição não tem pago na mesma moeda, tem ajudado a segurar o Lula no poder. Dez anos depois, o real não caiu, mas o PT caiu. Talvez um dia caia na real.

26-9-2005

SAINDO
DE CENA

A cassação de José Dirceu provocou uma espécie de alívio na opinião pública. Parece que o país vai respirar agora, porque as coisas estavam paralisadas havia meses. Essa crise nos mostrou dois lados do atraso brasileiro: a direita de Jefferson *[Roberto Jefferson, deputado federal cassado em setembro de 2005]* e a esquerda de Zé Dirceu. O atraso de direita e o atraso de esquerda. O atraso dos reacionários e o atraso dos "progressistas" – assim, entre aspas mesmo.

A saída de Dirceu tem uma importância simbólica muito grande, porque cai o mito do herói de uma revolução morta. Dirceu não foi ladrão nem corrupto: ele foi o organizador de finanças de uma revolução falida. Jamais acreditou na democracia, chamada de burguesa por ele e por outros membros do PT. Dirceu, contra todas as evidências, ainda sonha – sonhava – com um socialismo fracassado. A verdadeira revolução brasileira será o aperfeiçoamento da República, a reforma de velhas instituições como o Judiciário – a doce cama da corrupção e do privilégio.

A revolução no Brasil é a reforma da absurda burocracia da administração pública. É a democracia com crescimento econômico, única maneira de se combater a miséria. Com a queda de Dirceu, a velha esquerda sai de cena. O mundo fica menos utópico e mais real, e poderemos pensar em um novo conceito de progresso e de mudança. A revolução brasileira tem que ser no presente, e não em um futuro imaginário.

5-12-2005

QUANTO CUSTA UM PARLAMENTAR?

Você sabe quantos dias por ano trabalha um congressista? O ano tem 365 dias, mas nenhum parlamentar chega em Brasília na segunda-feira, muito menos fica até sexta. Logo, trabalha três dias por semana – terça, quarta e quinta.

O ano tem 52 semanas. Mas, com três meses de recesso e férias, os parlamentares trabalham menos doze semanas, ou seja, trabalham quarenta semanas, 120 dias por ano, sem contar feriados e gazetas.

Um deputado ou senador, com salário fixo, ganha 12.850 reais por mês. Mas recebe também 15 mil reais de verba para o escritório e os funcionários. Ganha mais 10 mil reais por mês de passagens aéreas e 4.300 para correio e telefones, sem contar eventuais mensalões. Ou seja, cada um nos custa 42 mil reais por mês. Só na Câmara dos Deputados são 513 – então, anualmente, os deputados custam 260 milhões de reais. Somados aos 81 senadores, chegamos à quantia de 300 milhões de reais por ano – para pagar homens que trabalham apenas 120 dias. Na convocação extraordinária, gastamos mais 100 milhões de reais.

Sabendo-se que uma casa popular custa 25 mil reais, só com o custo da convocação extraordinária poderíamos construir 4 mil casas populares. É mole ou quer mais?

21-12-2005

O LADRÃO NOS ASSALTA E AINDA AGRADECEMOS

A Bolívia não nacionalizou a Petrobras. A Bolívia invadiu nossa empresa com o Exército – no peito e na raça. E o Lula achou que os bolivianos tinham razão. É inacreditável o que está acontecendo na América Latina, e o Lula não vê, ou finge que não vê. Se o Lula me ouvisse, eu diria a ele: "Presidente Lula, o senhor não percebe que está sendo usado pelo Hugo Chávez? Não vê que Evo Morales é um capanga do Chavão, que obedece a suas ordens? O Chávez quer desmoralizá-lo e transformar o Brasil no inimigo imperialista".

Esse oportunista da Venezuela, o "cocaleiro" primitivo da Bolívia e o peronista vesgo da Argentina são caricaturas – caricaturas de revolucionários dos anos 1970, que hoje se infiltraram na democracia para apodrecê-la. Presidente, o senhor fica pensando assim: "Sou o presidente do Brasil ou um militante do PT no governo?". O senhor só faltou aplaudir o Evo Morales por ter invadido a Petrobras, e ainda disse que a Petrobras "entubará" qualquer aumento numa boa. Depois, presidente, o senhor falou que o gasoduto da Venezuela será maior do que a Muralha da China.

Presidente Lula, somos uma república democrática e não podemos permitir essa folga. Marco Aurélio Garcia *[assessor da presidência para assuntos internacionais]* ainda disse: "O Brasil já ganhou muito dinheiro com a Bolívia". O que é isso? O ladrão nos assalta e ainda agradecemos? Isso é coisa de país soberano? Isso é coisa de homem? Se continuar assim, vamos virar o saco de pancada dos hispânicos populistas.

Presidente Lula, será que o senhor tem vergonha da democracia brasileira?

8-5-2006

REVOLUÇÃO INSTITUCIONAL, URGENTE

Vivemos um momento terrível, mas precioso na vida política brasileira. O país está com o corpo aberto, mostra seu câncer generalizado. Em um ano, descobrimos que havia uma quadrilha no poder e vimos como funciona a corrupção dos mensalões, das sanguessugas. Agora, percebemos que estamos mais indefesos do que pensávamos. E quem nos revelou isso? Os salvadores da pátria? Não, um corrupto confesso como o Roberto Jefferson nos mostrou como era o sistema da quadrilha no poder. Marcola *[Marcos Willians Herbas Camacho, líder da organização criminosa Primeiro Comando da Capital, cuja sigla é* PCC*]* nos ensina que estamos abandonados pelo poder público.

Diante da incompetência evidente, os políticos se acusam, mas a verdade é que todos estão aquém do que acontece. A realidade explode e revela a preguiça, o descaso e a ignorância dos políticos. Estamos vivendo uma crise institucional. As soluções tradicionais não bastam. Pode ser que, mais adiante, a humildade do Lula e seus petistas, a humildade dos tucanos e seus aliados, todos reconhecendo que não sabem o que fazer, faça com que eles percebam que somente um mutirão acima de partidos, além da pressão contínua da sociedade civil poderá vir a ajudar. Não deixemos escapar essa oportunidade trágica. O Brasil precisa de uma revolução institucional. Não há solução ainda porque a verdade é que não conhecemos o problema.

22-5-2006

QUAL A COR DO PAÍS?

Presenciamos apenas "desacontecimentos" no Brasil. As coisas acontecem no mundo, aqui giram no mesmo lugar. Lá fora vingam, aqui murcham logo. Os jornais trazem notícias que não aconteceram: não terminou a greve, não puniram os responsáveis, não conseguiram isso nem aquilo. Nossas notícias são narrativas de fracassos. De resto, falta vento no peito, esperança, cor no rosto, adrenalina na alma. O Brasil virou uma sopa em que flutuam as eternas colunas sociais, com as velhas madames, as novas peruas, os crimes, as balas perdidas, as revoltas nas prisões.

Já vivi épocas de cores mais vivas. O pré-64 era vermelho, não apenas pelas bandeiras do socialismo mas também pelo sangue que nos animava a construir um país romanticamente. Era ilusão? Era. Mas tinha gosto de vida. E a ditadura de 1964, aquele verde-oliva que nos cercou como epidemia de patriotismo, era horrível? Era, mas nos dava *frisson* de lutar contra o autoritarismo.

Hoje, qual é a cor do Brasil? É a cor de burro quando foge, a cor morta dos "desacontecimentos". Vivemos um tempo em que parece estarmos em um beco sem saída. Mas, quando chegam as eleições, tudo muda. As eleições apagam os fatos recentes, porque nos dão a ilusão de que vem um tempo novo. Cada figurinha de candidato estadual ou federal, cada rostinho cheio de anomalias, promete coragem, honestidade e, principalmente, acontecimentos. Diante do grande público, vale apenas o chamado carisma, o charme, a belezura, o feitiço do candidato que parece, mas não é. Parece honesto, sério, legal.

No Brasil, a história anda muito devagar. Às vezes, anda para a frente, mas volta correndo para trás. Continuamos a votar não em programas, nem em projetos, mas em caras, em discursos. Pois nossa formação nos faz acreditar em salvadores da pátria, em milagreiros, para substituir nossa impotência social.

Na campanha eleitoral, dá medo ver o desfile de figuras patológicas no ar. Gente que não receberíamos em casa, mas em quem votaremos, cheios de fé. Depois, vamos reclamar dizendo que não prestam. E nós, com a nossa ingenuidade e desinteresse, prestamos?

30-8-2006

O APAGÃO DA PREVIDÊNCIA

É fascinante a capacidade de autoengano que ronda a cabeça dos petistas no poder, como a do presidente Lula. A realidade para homens que vivem somente em termos de ideologia é um detalhe chato. Eles pensam: "Essa realidade objetiva serve apenas para atrapalhar. O óbvio é uma amolação, o óbvio fica se exibindo com todas as evidências, atrapalha nossos sonhos utópicos". Pensar com ideologia significa partir de uma ideia anterior ao raciocínio e distorcer o raciocínio para se chegar àquela ideia que já existia desde o início.

Lula está fazendo isto: tentando nos enganar se autoenganando. Assim, a mentira se torna mais leve, a culpa não dói, porque você mente para si mesmo. Ele já declarou que a reforma da Previdência não é tão importante, que virou moda falar da Previdência, que uma reforma inadiável é frescura. O deficit da Previdência é um estilo, é uma bobagem, é uma grife, assim como Prada, Vuitton, Dior. Realmente, é melhor ouvir isso do que ser surdo.

Como chamar de moda uma situação catastrófica que impede o país de crescer, com um deficit de 150 bilhões de reais este ano? Qualquer economista sério sabe da urgência do problema. Setenta por cento do dinheiro arrecadado para a Previdência é para pagar 20% dos aposentados. Os privilegiados levam quase tudo e a maioria dos aposentados, 80%, são pagos com 30% arrecadados.

Lula afirmou esse absurdo por sua obstinação de ter maioria no Congresso, porque quer agradar ao PDT ao garantir que não fará reforma nenhuma. Diz que bastará um grande choque de gestão para resolver o deficit. O que isso significa? Que o governo vai gerir melhor as contas da Previdência, recadastrar aposentados – em um país que tem um labirinto burocrático e corrupto.

Lula diz que vai resolver o problema durante sua gestão. Logo em um país que não consegue nem mesmo controlar seus voos nos aeroportos. Lula jamais conseguirá, até porque conta com a sabotagem do funcionalismo, a absurda burocracia, a preguiça e a incompetência dos companheiros infiltrados no Estado. Jamais conseguirá gerir Previdência alguma. O país continuará falido até o dia em que não houver mais grana para pagar os aposentados. Haverá um apagão da Previdência, como houve nos aeroportos. Quando o problema surgir, não haverá mais solução.

30-11-2006

FASCISMO
DISFARÇADO

"A democracia no Brasil sempre foi um mal-entendido", como escreveu o grande historiador Sérgio Buarque de Holanda. Em um país com tradição colonial, oligárquica e "mandonista", fala-se muito em democracia para não exercê-la. Tivemos 21 anos de ditadura militar e, quando acabou, houve um espasmo de abertura democrática, quase mecânica – semelhante à sensação de tirar um sapato muito apertado ou quando uma borracha recupera seu formato inicial. Aos poucos, a esperança de que a vida social pudesse ser regida pela maioria da população vai sendo corroída secretamente.

O governo de Fernando Henrique Cardoso tentou institucionalizar a república democrática na terra da exclusão e do mandonismo. Conseguiu em parte.

Mas, com a chegada do PT ao governo, está sendo desgastada a ideia de democracia, que os petistas fingem respeitar. Os escândalos de 2005 *[quando o deputado Roberto Jefferson denunciou o esquema do mensalão]* deixaram claro aquilo que os petistas acham da democracia e como, por baixo do pano, pensam somente em controle, em dirigismo, nem que seja pagando os ladrões do Legislativo.

Os bolchevistas querem controlar a sociedade por ideologia e, no caso do Lula, por narcisismo, deslumbramento e onipotência, porque ele se acha a resposta popular do país. Assim que tomaram o poder, tentaram mandar na imprensa livre e nas tevês – tiveram até a ideia de criar o Conselho Nacional de Jornalismo *[atitude intervencionista e autoritária do governo ao querer reger o trabalho dos jornalistas]*; depois, a Lei da Mordaça, que chegou a tramitar no Congresso para impedir dados sobre inquéritos policiais; a Agência Nacional do Cinema e do Audiovisual (Ancinav), que castraria as televisões privadas.

Ressurgiu também o stalinismo oculto. Querem criar a tevê do Poder Executivo, uma rede que custaria mais de 300 milhões de reais para ser instalada – o que daria belíssimas, grandes gorjetas e jabás para seus idealizadores. Haveria a possibilidade de o governo central controlar a opinião pública 24 horas por dia – uma tevê de propaganda, como existe em Cuba e na Coreia do Norte.

Lula achou ótimo o plano e deu luz verde a seus criadores. A finalidade não é moldar somente as mentes das pessoas, é também ter uma chance de mudar a história. Já que esse governo não consegue governar nada, já que o poder público está cada vez mais desorientado e incompetente, e nada é resolvido – nem a violência, nem as reformas de Estado, nem as obras que não saem do papel –, querem mudar os fatos pela propaganda. E pronto. Rouba-se bastante grana no projeto e, depois, basta tentar convencer a população de pobres ignorantes a crer em tudo o que seu mestre falar – assim como nas igrejas evangélicas ou nos aparelhos de informação das ditaduras getulista e militar. A democracia sempre foi um estorvo, uma mentira – e essa gente quer acabar com ela. Tevê do Executivo é fascismo disfarçado.

15-3-2007

AS FIGURAS EMBLEMÁTICAS

Uma cena inimaginável no Brasil seria Lula receber Collor. Outra seria Roberto Jefferson ser indiciado no inquérito dos Correios. E foi exatamente o que aconteceu. Lula, Collor e Jefferson são personagens essenciais do Brasil contemporâneo. Eles nos ensinaram muito.

Collor, por exemplo, fez um retrato ao avesso da burguesia que o elegeu. Seus erros morais em questão de dinheiro são atos para Juizado de Pequenas Causas depois do escândalo do mensalão. Collor é importante por sua capacidade proposital de autodestruição. Jovem e carismático, jogou fora a presidência como uma espécie de compulsão rural oligárquica. A gosma do melaço e da cana de Alagoas foi mais forte, e Collor teve que errar de propósito para acabar sendo alvo de impeachment. Collor planejou seus erros com orgulho e fez uma revolução contra si mesmo. Errando, acabou acertando, e abriu a agenda moderna para o Brasil.

Com Lula, pudemos ver a gangue de ridículos revolucionários e sindicalistas que estão grudados nele há 25 anos. Lula, pragmático, deixou-se envolver, mas teve tanto jogo de cintura que acabou se livrando dos comunas corruptos que orbitavam em sua volta. Hoje, em um continente cada vez mais chavista e kirchenista, já consideram Lula um neoliberal. Lula será uma espécie de beque na defesa da democracia.

E Bob Jefferson, o grande Roberto Jefferson, maravilhoso? Era o gordo ícone do fisiologismo tradicional. Por vingança, imolou-se em praça pública e teve uma estranhíssima compulsão de dizer toda a verdade. Nunca havia sido tão esclarecido o sistema corrupto do país quando Jefferson abriu as portas do bordel político brasileiro.

Pelo avesso, os três personagens, Lula, Collor e Jefferson, modernizaram o Brasil. De costas, fizeram os cidadãos andarem para a frente. Três políticos importantes: o sapo, o jacaré e o ex-elefante.

22-3-2007

MICRÓBIOS
RESISTENTES

A sordidez que acontece no Brasil é tal que não merece nem uma crítica à luz da razão. Deve ser analisada como um exame de patologia clínica. Estamos sendo infectados por uma doença histórica. Chama-se "síndrome da incompetência generalizada", ou "falência múltipla dos órgãos públicos". Essa doença se espalha a começar do centro do Executivo, da pirâmide do poder. As características dessa doença são oriundas de uma vasta cepa de germes históricos e ideológicos. Há uma cepa herdada e resistente a antibióticos do autoritarismo com ecos stalinistas, que se cruzou com o germe de um sindicalismo oportunista e pelego, com o *Staphylococcus* do populismo pós-getulista, formando um novo tipo de micróbio. Com a baixa imunidade da democracia representativa, espalha-se de maneira profunda e letal.

Essa grave doença é, muitas vezes, dissimulada pela figura do Lula, com seu carisma de símbolo popular, assim como certas febres podem levar a alucinações enganadoras. A característica dessa anomalia é sua espantosa incapacidade administrativa. A ideia de competência é vista com desconfiança, porque a competência pode até encobrir um desvio neoliberal de direita.

Administrar é visto como um ato menor, até meio reacionário, já que administrar é manter, preservar – coisa de capitalistas. A incompetência paralítica do governo é uma mistura esquisita de slogans socialistas com adesão desconfiada ao mundo capitalista – a não ser as regras de macroeconomia que o Fernando Henrique deixou e que o Lula, por instinto, acaba por não mexer.

Nosso Estado quebrado não se desenvolve porque a desconfiança congênita na iniciativa privada impede seu crescimento. A isso, soma-se o caráter desinteressado e deslumbrado do Lula, que atinge todos os escalões do Estado. Se o comandante berra "dane-se!", todos depõem suas armas.

Estamos diante de um velho retrocesso histórico. A tragédia de Congonhas *[um avião da TAM explodiu ao bater contra o prédio da própria empresa, matando mais de 170 pessoas]* é uma metáfora sinistra deste momento. O avião estava muito veloz para pousar e muito lento para arremeter. Como o Brasil. Nada avança, e o que antes funcionava está quebrando.

Os germes cruzados com muitas cepas, fortalecidos com décadas de superstições populistas, são seres muito resistentes. Não há antibiótico conhecido contra esses micróbios. Nenhum, muito menos o PSDB, que morreu contaminado por si mesmo.

23-7-2007

A RAZÃO
DAS VAIAS

É simplesmente vergonhoso, quase criminoso, ouvir o governo dizer que as críticas e as vaias que têm sido lançadas ao Lula e a seu Executivo são feitas pelas elites, por gente que não representa as forças vivas da nação, como dizem os comunas há mais de cem anos. As vaias têm sido dadas por uma parcela da população que conta com capacidade crítica para avaliar esse governo, pelos que tiveram a sorte de estudar e podem constatar a pior administração pública da história brasileira, justamente no momento mais privilegiado da economia mundial, quando o Brasil poderia dar um show de bola – e, no entanto, está batendo pino.

Lula mantém sua popularidade entre as pessoas que, mergulhadas na ignorância política, ou cooptadas pelos cem ou cinquentinhas que pingam em suas mãos, dão-lhe apoio sem saber por que fazem isso. Lula se refugia na desinformação de grande parte de nosso pobre povo, para enganá-lo com um falso progresso – este até poderia existir se houvesse um mínimo de competência administrativa.

Os dados provam que nosso país tem apenas 11% de suas estradas asfaltadas. Por quê? Porque o governo se recusa a abrir concessões para a iniciativa privada, porque meia dúzia de malucos comunistas acha que não se pode privatizar nada. As vaias são um manifesto de quem tem uma cultura mínima para perceber a espantosa incompetência desse governo. E as causas da incompetência são a ambiguidade ideológica de sindicalistas e ex-comunas no poder que odeiam administrar, pois pensam somente na revolução imaginária – que nunca aconteceu nem nunca acontecerá.

Como um sindicalista pode administrar um banco, se é contra bancos? É um tumor inoperável na cabeça dos homens do governo e de muito intelectual idiota que o Estado deve ser o centro de tudo hoje, quando essa ideia está morta no mundo inteiro, inclusive na China e no Vietnã. O Estado superpoderoso gera a imensa corrupção a que assistimos, porque o Estado é pilhado por dentro e por fora.

Outra causa da crise e das vaias é a ocupação do Estado, em 40% dos cargos, por membros do PT ou por indivíduos ligados ao partido. O Estado é visto como uma colmeia em que os marimbondos vão se aninhar. Os ganhos do PT, oriundos de gente empregada no governo, aumentaram 500% nos últimos dois anos, já que 10% de seus salários vão para o partido.

A recusa de o governo fazer reformas essenciais, como a da Previdência, ou a da política, ou a da estrutura fiscal, também é motivo para vaias. A recusa a enxugar gastos, o que permitiria investimentos e estímulo ao desenvolvimento, também. Em vez de desfazer e reformar, o governo criou um desenvolvimentismo falso, de fachada – um marketing perfeito. Nomeia, para cargos técnicos, políticos corruptos e ineptos; para usinas hidrelétricas, especialistas em botânica; para a aviação, agentes de turismo e bailarinos. Sem falar na preguiça e na confusão mental dos membros do Executivo. Essa é a razão das vaias.

O governo acha que as vaias saem das elites e ameaça convocar os pobres que não estudaram para defendê-lo e para defender uma mentira que os empobreceria ainda mais. Que tristeza ver o país patinar em meio ao maior progresso da economia mundial – o maior em setenta anos.

6-8-2007

E O
VOTO É...

Você é aberto ou fechado? No bom sentido, claro. Porque esse tem sido o grande debate nacional no Senado. Wellington Salgado *[senador do PMDB por Minas Gerais]*, aquele *hippie* careta a favor de Renan *[Calheiros]*, defendia o voto secreto aos berros, assim como o ajudante de ordens de Renan, Almeida Lima. A palavra *voto* significa a explicitação de uma opinião, de um desejo, de uma crença, de uma promessa. Posso fazer votos de amor a uma namorada, alguém pode fazer votos de saúde a outra pessoa – a palavra significa exatamente clareza, explicitação, vontade. Por que, então, a luta pelo voto secreto?

Se você está em uma eleição para presidente, não precisa berrar na rua que prefere fulano ou sicrano, a fim de proteger suas convicções ideológicas ou políticas. Não precisa declarar na tevê que ama fulana ou sicrana, para proteger sua intimidade. Se você vai julgar um esquartejador ou um criminoso de quadrilha da pesada, precisa se proteger, em um júri, digamos, contra vinganças ou violências posteriores. Mas, se você vai julgar um caso de ética, de moral, de decoro político em defesa de uma instituição da República, tem de se limitar a declarar se acha que houve ou não quebra de decoro parlamentar.

Então, proteger-se de quê? Bem, nesse caso, o voto secreto tem várias serventias. A primeira é proteger o acusado, porque talvez você queira votar por sua condenação "no escurinho do cinema", justamente porque ele é seu amigo e você não tem intenção de feri-lo com o voto contra. No entanto, há no Senado quem queira o voto secreto por temer o acusado. Há muitos senadores com telhado de vidro, que temem pedras voadoras depois – muitas amantes reveladas, falcatruas expostas. O voto secreto, portanto, seria para proteger crimes e malandragens dos votantes. Proteger uma tradição de meias verdades e desonestidade que existe há séculos no país.

O voto secreto tem o objetivo de proteger o patrimônio histórico da corrupção. Diante dessa polêmica, a pergunta que não quer calar é a seguinte: por qual motivo, afinal, aqueles que apostam no voto secreto são a favor do acusado? Por que apoiam o voto secreto, se acham o acusado inocente? Por que escondem sua generosidade e sua amizade por ele? Têm medo da opinião da população, que considera o acusado culpado? Venham, senadores, à luz do dia e berrem cheios de grandeza: "Acho o Renan inocente!". Amigos de Renan, vocês têm vergonha de serem aliados dele? Têm vergonha de defendê-lo?

30-8-2007

MALDITO SEJA

Diante das falcatruas dos políticos, só nos restam maldições bíblicas. Malditos sejais, ó mentirosos, defraudadores, intrujões, embusteiros e vigaristas. Que a peste negra vos cubra de feridas pútridas. Que vossas línguas mentirosas sequem. Que vossas patranhas se transformem em cobras que se enrosquem em vossos pescoços, que entrem por vossos rabos e lá depositem venenosos ovos que vos depauperem em diarreias torrenciais. Que vossas bocas se atrofiem em sapos pustulentos, que vos impedirão de beijar vossas amantes nos prostíbulos mentais onde viveis.

Malditos sejais ladrões, gatunos, ratos do dinheiro público, dos quais abocanhais 20% de todos os orçamentos, deixando viadutos no ar, pontes no nada e crianças mortas de fome, enquanto trombeteais inocência e honradez nas tribunas. Que as maldições das pragas do Egito vos impeçam de comer os frutos de vossas fazendas escravistas e a carne de vossas boiadas imaginárias, que não possais degustar o pão de vossos fornos nem o milho de vossos campos.

Malditos sejais, os ladravazes com vossos sorrisos asquerosos, vossa imunda honradez ostentada, vosso tranquilo cinismo baseado na legislação, que vos protege há quatro séculos. Malditos sejais, 40 mil canalhas infiltrados na máquina pública, que a emperram e sugam as migalhas do Estado. Tomara que sejais devorados pelos carunchos que rastejam nos arquivos empoeirados da burocracia, que impede o país de andar para a frente. Que a poeira dos arquivos mortos vos sufoque e envenene como o trigo roxo dado aos ratos.

Se esses canalhas prevalecerem, sempre voltará o dragão do atraso com sete cabeças e dez chifres e sete coroas em cada cabeça. A prostituta da miséria brasileira virá montada nele, berrando blasfêmias, vestida de vermelho, segurando uma taça cheia de abominação de suas fornicações. Ela estará bêbada com o sangue dos pobres, e em sua testa estará escrito: "Mãe de todas as meretrizes. Mãe de todos os ladrões que paralisam nosso país". Portanto, só nos resta maldizer, como na *Bíblia*: que a peste negra vos devore a alma, políticos canalhas. Que vossos cabelos com brilhantina vos cubram com uma gosma repulsiva. Que vossas gravatas bregas vos enforquem. E que vossos bigodes apodreçam no ar de Brasília.

13-9-2007

BUROCRACIA,
A DOENÇA

A ONU divulgou um estudo mostrando que a burocracia mundial e seus métodos de tartaruga provocam, além de corrupção, prejuízos de mais 2 bilhões de dólares anuais. No Brasil, a burocracia nasceu em 1500. Veio com Cabral em suas caravelas e é um dos vícios portugueses plantados por aqui. A burocracia visava fortalecer o poder da Coroa, tornando os empresários sem iniciativa dependentes do reino e, depois, do Estado, da República, de modo que a sociedade servisse ao Estado, e não o Estado à sociedade, como nos países desenvolvidos.

De certo modo, a burocracia inventou o Brasil. A ideia de uma sociedade criativa, empreendedora, sempre repugnou os chefes coloniais. Até hoje, as empresas são vistas com desconfiança. E o emprego público é desejado desde a infância. Já ouvi muitas mães dizerem: "Ah, quando crescer, meu filho vai trabalhar no Banco do Brasil".

A burocracia também dá poder a medíocres, para que criem dificuldades e vendam facilidades. É nossa principal doença, de onde vêm muitos outros males. Com a aceleração do progresso tecnológico, aumenta nosso caos de serviços. Somos uma carroça velha que tenta andar movida a computador. A principal revolução deste país seria contra a burocracia. Mas de que forma, com esse governo que é contra privatizações, que já contratou mais de 40 mil burocratas, que pretende acabar com a Lei da Responsabilidade Fiscal? Um governo que acredita no Estado-pai, no Estado-gigante, no Estado-deus-sindicalista, no Estado-Lulão – como fará a revolução contra a burocracia?

26-10-2007

LATAS DE LUXO

Em meio à crise dos cartões corporativos, houve um escândalo dentro de outro escândalo. Entre os gastos da Universidade de Brasília, havia a lata de lixo do reitor, cujo valor era mil reais. Sim, uma lata de mil reais. O que se joga em uma lata dessas? Não pode ser qualquer detrito. Uma lixeira cara encerra a ideia de embelezar as sujeiras, esconder bem as imundícies.

Essa lata de lixo denota o desejo bem brasiliano de esconder coisas sujas sob uma capa de nobreza, como o voto secreto na Câmara, as verbas indenizatórias fantasmas dos deputados. Essa lata deveria ser chamada "lata de luxo". É a cara de Brasília, cidade em que os pequenos detritos crescem para encobrir sujidades maiores. Esse negócio dos cartões corporativos é um vexame, sem dúvida, mas são roubos corriqueiros que servem para nos fazer esquecer crimes muito maiores.

Brasília é um grande latão onde grandes crimes são reciclados em pequenos delitos. Enquanto discutimos se vai haver cartão ouro, cartão platina ou cartão tapioca para ministros, esquecemos em quais latas estão escondidas sujeiras recentes bem mais importantes. Por exemplo, qual será a solução para o desmatamento? O Lula vai perdoar quem desmata? Como vai a investigação das ONGs imaginárias que roubam bilhões? E as mamatas do reinado dos Renans de Murici *[alusão a Renan Calheiros, que nasceu na cidade de Murici, em Alagoas, e enfrentou pedido de cassação de sewu mandato de presidente do Senado]*? E os fundos de pensão achacados no país todo, principalmente no Rio de Janeiro? Ficamos discutindo se o motel foi pago com cartão, enquanto bilhões roubados pelos grandes chefes políticos do Brasil estão nas latas de luxo do esquecimento.

11-2-2008

PÉ-QUENTE

O Brasil está vivendo uma fase de prosperidade. A produção industrial está bombando – as fábricas trabalham 24 horas por dia –, o desemprego caiu, a inflação continua baixa, a Vale do Rio Doce – privatizada contra a vontade de tantos malucos – teve o maior lucro de sua história. Temos tido somente boas notícias. E a quem devemos isso? A uma gestão maravilhosa do governo atual? A uma herança do governo anterior? À economia mundial, à sorte do Lula? À nossa sorte, graças a Deus?

Lula tem tido méritos nesse governo, principalmente na área de Dilma Roussef e de outros bons ministros. Mas o *boom* que o Brasil tem vivido se deve a fatores múltiplos. Em primeiro lugar, a economia mundial está com uma liquidez rara, cujo banquete estamos comendo. Devemos muito do que acontece também à sorte política: a desmontagem dos planos bolchevistas do primeiro governo comandado por Zé Dirceu, graças à denúncia do cobra criada Roberto Jefferson, que ao mesmo tempo nos livrou dos malucos que queriam destruir a economia e o próprio Lula desses mesmos malucos. Ai de nós se não tivesse havido o Antonio Palocci para nos proteger contra essa gente.

Lula, com seu extraordinário maquiavelismo e pragmatismo, pôde governar, ou melhor, deixar o país andar um pouco, graças à estratégia de usar a mediocridade e a sordidez dos políticos para compor alianças repulsivas, mas que estão permitindo alguma governança.

Outro dia, ouvi esta frase incrível: "A corrupção salvou o Brasil do esquerdismo burro". É verdade. Outra grande razão de nosso progresso foi, repito sempre, a herança bendita de Fernando Henrique na macroeconomia, que o Lula teve a esperteza e a sensatez de manter, primeiro com o Palocci depois com o Meirelles *[Henrique, presidente do Banco Central]* e seus técnicos.

Como disse o Carlos Sardenberg *[comentarista de economia]*, vimos o triunfo da ortodoxia econômica. Sensatez, economia externa, herança do Plano Real, controle ortodoxo, corrupção "aliancista" e sorte do pé-quente do presidente. Fernando Henrique reclamou, com razão, quando Lula, em acesso de vaidade, disse que Fernando Henrique era pé-frio e ele, Lula, pé-quente. Fernando Henrique pegou cinco crises internacionais pela cara, e o Lula, só bonança. Está cuspindo no prato que come, sim, porque, se não fosse o Plano Real e a estabilidade monetária, estaríamos todos batendo panela no meio da rua.

29-2-2008

A FOME
E A
INFLAÇÃO

Má notícia da semana: os preços dos alimentos no mundo subiram 186%. No Brasil, isso pode significar o perigo de aumento da inflação, tanto que o Banco Central já pensa em subir os juros. O presidente Lula deu a seguinte declaração: "Os preços sobem porque tem mais gente comendo mais". Pensei, "o presidente pirou". Quer dizer que, se pobre come mais, piora tudo? Mas fui me informar e ele tem razão: com o aumento da renda, sobe o consumo de alimentos em países como Brasil, Índia e China. Sem falar que os preços dos insumos para produzi-los aumentam também. E, se a produção não cresce, com a procura subindo, o resultado é o dragão da maldade, a inflação. O Lula está certo.

O pior é que países centrais, França, América do Bushão e outros resolveram fingir uma preocupação com os famintos. Dizem: "A fome vai aumentar no mundo, o que será dos pobres?". Logo eles, que nunca pensaram nos pobres, principalmente em *nossos* pobres. E ainda botam a culpa na gente, quando são eles que impedem o crescimento da agricultura em países que poderiam ser o celeiro do mundo. Impedem subsidiando seus agricultores que, claro, votam neles. A culpa é do protecionismo europeu e americano na agricultura.

Lula foi sensato sobre a nossa política monetária, quando disse que sobe os juros quando for preciso e os faz cair quando puder. Fundamental é controlar a inflação. Quando o Lula pensa sozinho, governa melhor. Quem atrapalha são seus maus amigos, os companheiros venenosos. Ainda bem que a ala incendiária do Dirceu não apita mais, ou melhor, tanto mais.

14-4-2008

BILHÕES NAS MÃOS DAS ONGs

Vivemos em uma democracia, não há dúvida. E uma das maneiras de democratizar um país é descentralizando a administração, dividindo poderes com a sociedade para evitar o estatismo excessivo e os autoritarismos políticos. O Brasil é uma democracia. Mas nossa ideia de democracia é muito precária, é um mal-entendido, como escreveu Sérgio Buarque de Holanda.

Somos filhos do Estado por tradição. Somos "mamadores" no seio da mãe-pátria. Tudo emana do Estado para si mesmo, de modo que nossa democracia sempre dá um jeitinho de manter vivos os privilégios de poucos sobre a maioria. Foi assim que, em nome da democracia, da descentralização, criaram-se as ONGs, organizações não governamentais.

No Brasil, em sua maioria, não passam de fachadas para grandes corrupções. Têm sempre um pé dentro dos governos, seja estadual ou federal. As recentes descobertas da mais deslavada corrupção envolvendo ONGs dão para matar as esperanças de que, um dia, seremos um país organizado. Existem no Brasil 300 mil ONGs que, amigo, é o melhor negócio do mundo – o governo dá dinheiro para particulares gerirem. E qual é a fiscalização? É a consciência solidária, a generosa dedicação ao bem que as ONGs apregoam.

Você acha possível soltar o dinheiro na mão de qualquer grupo e esperar dele ética pura, consciência social? Como dizia o *[dramaturgo]* Nelson Rodrigues: "Consciência social de brasileiro é medo da polícia". Também o grande filósofo inglês Thomas Hobbes ensinou que somente o medo pode gerar respeito à lei, somente o medo pode manter um contrato social decente com a sociedade funcionando. Mas, no Brasil, ninguém tem mais medo de nada.

No governo do Lula, entre 2003 e 2007, foram jogados na mão de ONGs 12 bilhões de reais. Sim, 12 bilhões! Feita uma verificação superficial, ao examinar 167 ONGs, o Tribunal de Contas da União descobriu que todas tinham irregularidades. Porque não há critério de seleção nem cobrança de resultados. Existem diretores de ONGs que mantêm contratos ativos com agências federais que eles mesmos dirigem. É genial, você dá dinheiro para você mesmo!

Há muitas formas de roubar por meio de ONGs. No Rio de Janeiro, foi uma festa em governos passados. Tudo sabido, provado, óbvio... e impune. No Congresso, os senadores da base aliada bloqueiam sistematicamente a CPI das ONGs para que nada apareça, desde o mensalão aos cartões corporativos. O tipo de político que ocupa o poder, hoje, acha normal a ocultação de qualquer irregularidade. Nosso autoritarismo aparece, assim, no tapete sob o qual tudo é varrido.

As ONGs são um dos maiores escândalos da história do Brasil. Nos tempos que correm, o erro está indo tão fundo, os crimes são tão arraigados, a ocultação de cadáveres e de ladroagens é tanta que talvez, no futuro, não teremos a chance de normalidade. Talvez o país seja condenado a uma desorganização perpétua.

16-4-2008

GOVERNO TÃO BONZINHO

Estamos vivendo em pleno "abril vermelho". O que é isso? Muita gente sabe, principalmente dentro do governo, mas finge ignorar. Trata-se de invasões incessantes que o Movimento dos Trabalhadores Rurais Sem Terra, o MST, faz contra fazendas produtivas, contra empresas sólidas das quais deveríamos nos orgulhar e proteger. Trata-se de um crime anunciado com antecedência e que se cumpre diante da espantosa passividade do governo e da lei. A AmBev, a Vale do Rio Doce e a Aracruz são alguns dos alvos preferidos.

Quando surgiu, o MST tinha um objetivo claro: conseguir terras para homens desvalidos diante da imensidão dos latifúndios. Terras improdutivas e abandonadas. Acontece que essas terras não eram notícia. Acontece também que o MST passou a ser controlado por líderes loucos. Virou uma espécie de coluna maoísta, braço brasileiro da revolução chinesa, que nem mesmo na China alguém se lembra mais de como era. Passou a ser um instrumento delirante para derrubar o capitalismo. Não de uma fazenda, de uma empresa, mas do próprio sistema capitalista mundial. Isso é terrivelmente ridículo, mas é pavorosamente real.

A partir de um dado momento, o MST escolhe somente fazendas produtivas, empresas sérias, para provocar inquietação na vida social. A pergunta que não cala é: por que o governo é tão bonzinho, tão leniente com esses caras – não com os pobres-diabos que não sabem o que estão fazendo, mas com os sujeitos que dominam os pobres? Por que não "encanam", não chamam o Exército, a polícia? Porque o governo usa o MST, precisa de uma máscara de esquerda para se justificar ideologicamente diante de intelectuais ignorantes, de populistas, de caudilhos de quinta categoria, como esse Hugo Chávez, da Venezuela.

A esquerda é uma espécie de brinco que o governo Lula usa para enfeitar a incompetência e o ensopado de *slogans* que formam sua confusão ideológica. Bate uma no cravo, outra na ferradura. Quando precisa, o Lula se diz liberal, apoia bancos, empresas, tudo dentro do sistema vigente. Mas posa também de revolucionário, batendo cabeça para aqueles que seriam defensores do povo no imaginário popular.

O governo deveria criar um novo MST, Ministério dos Sem-Terra, e nomear para ministro o Stédile ou o Rainha *[líderes do movimento]*. Seria mais fácil e mais sincero: um ministério de agitadores abençoado pela água-benta dos bispos da Pastoral da Terra.

17-4-2008

SETE

FÔLEGOS

Tenho que confessar uma coisa: sou fã do Maluf *[Paulo]*. Ele me fascina. Se alguém quiser entender profundamente o Brasil, tem que estudar a vida do Maluf. O Ministério Público de São Paulo recebeu os documentos que faltavam da Justiça da Inglaterra, que comprovariam as transferências de grana feitas por Maluf da Suíça para Londres e, em seguida, de Londres para as Ilhas Jersey, famoso paraíso fiscal. Os advogados ingleses, contratados pela prefeitura de Londres, comemoraram: "Viva! Agora vai". O procurador-geral de Genebra, na Suíça, espantou-se: "Como Maluf pode entrar no processo eleitoral com o dinheiro bloqueado no exterior?".

As investigações dos suíços mostram comprovantes de transferências de dinheiro assinadas por

Maluf. Existe comprovante de tudo, e ele nega. A ideia dos advogados ingleses é pedir uma ação civil em Jersey. Eles têm esperança de que a justiça de lá seja mais rápida do que a daqui. Mas esses estrangeiros bobos, essa gente medíocre, não conhecem o meu Maluf, não conhecem nosso herói. Pensam que vão dobrá-lo, mas não sabem com quem estão lidando. Maluf vai derrotar a Inglaterra, vai derrotar a Suíça. Ele é mais forte.

Entrevistado pelo *Estadão*, nosso líder já declarou: "Desconheço o problema. Já disse 230 vezes que não tenho conta no exterior. Agora são 231 vezes". Não é um craque? Viva Maluf, viva o homem que tem tal capacidade de negação que nos faz esquecer o que é verdade e o que é mentira. O homem que chega a pôr em dúvida nossa própria saúde mental, ou nossa existência. "Será que enlouqueci?", eu penso. Ou pior: "Será que existo mesmo?". Confesso: tenho inveja dele, porque ele tem vida eterna.

26-6-2008

FILHOS DA BOLHA

O presidente Lula disse, em discurso, que a crise econômica é problema dos americanos, do Bush, e que o Brasil está preparado para o que der e vier. Parece que o governo quer faturar a crise mundial para aumentar seu ibope. O que espanta no discurso de Lula é a coragem de afirmar que, aqui, a crise não chega, porque o Brasil fez tudo certo, fez a lição de casa. Mas o governo Lula nada fez para se prevenir de crise alguma. Ele diz que podemos gastar somente o que ganhamos, mas Lula e seu governo foram contra a responsabilidade fiscal e aumentaram muito o gasto público, em vez de cortá-lo.

Lula não fez nenhuma reforma essencial, empregou mais de 50 mil pelegos, chama de inimigos do país aqueles que o avisavam do perigo. Fala como um pai, um "getulinho" de barba: "Trabalhadores do Brasil, estamos cuidando de vocês. A gente nem precisa governar. Temos é que cuidar do país".

A verdade é que, até agora, Lula não precisou governar muito. Recebeu a herança bendita do governo anterior na macroeconomia, teve a sensatez de manter técnicos competentes como Palocci e Meirelles, mas Lula vai ter que governar, porque, como diz no discurso, "agora é que a porca torce o rabo".

Presidente Lula, lucramos com essa bolha, sim, que agora pode cobrar os prejuízos. Os duzentos e tantos bilhões que entraram aqui nos últimos tempos foram por meio do excesso de liquidez do mercado mundial, e não por habilidade política de seu governo.

Presidente Lula, somos filhos da bolha.

8-10-2008

AI-5
QUARENTÃO

A edição do Ato Institucional Nº 5 está fazendo quarenta anos. Muitos jovens não sabem o que é e muito coroa já esqueceu. O AI-5 exterminou a liberdade no Brasil, foi o verdadeiro golpe militar, porque, desde 1964, havia um Congresso capenga, mas funcionando, ainda havia fiapos de democracia. O pretexto para a edição do AI-5 foi um discurso do então deputado Márcio Moreira Alves, que incitou os civis a não se dar com os militares e sugeriu que as moças não dançassem em suas formaturas com cadetes do Exército. Isso foi o pretexto para a edição do ato, que fechou o Congresso, aboliu o *habeas corpus*, iniciou um período de torturas, além de enriquecimento brutal dos pais do milagre brasileiro. Era a época em que sobravam petrodólares no

Primeiro Mundo, e nos enfiaram goela abaixo cerca de 200 milhões em empréstimos, que depois, com a democracia em 1985, tivemos que pagar.

O jornal *O Globo* publicou uma série de reportagens mostrando que a comunidade política civil, os paisanos, participou ativamente da destruição sórdida da democracia. Por vários motivos: covardia, medo dos milicos, corrupção, fome de poder. E para ganhar dinheiro que entrava feito cachoeira, por causa da alma fascista de muitos, pelo ódio à liberdade e, claro, pela tradicional estupidez de muitos políticos.

Passados quarenta anos, a história, a manipulação e a mentira deram um jeitinho de botar a culpa nos militares, que até hoje carregam sozinhos a fama. Lógico que eles foram os protagonistas, mas os figurantes paisanos foram muitos. Alguns ainda estão mandando no Brasil. Vide o Congresso, os Estados.

Além de políticos veteranos, fascistas e reacionários, quantos políticos, entre os jovens malandros que nos assolam, permitiriam o apoio a uma ditadura? Olhe os rostinhos de tantos. Gente de todos os partidos, que escapa de cassações, forja dossiês, rouba o Estado para continuar no poder ou rouba para fazer uma revolução maluca no futuro.

Amor à ditadura não foi nem é exclusivo de membros das Forças Armadas. O fascismo e o crime estão no coração de muitos civis que ainda mandam em nós.

8-12-2008

POLÍTICA INTERNACIONAL

Antes do desaparecimento da União Soviética, o mundo era dividido: o "bem" de um lado e o "mal" do outro – capitalismo e comunismo. Bons tempos... Como era fácil raciocinar política e filosoficamente...

Hoje, estamos sem essa deliciosa divisão maniqueísta.

Tudo se esfarelou em 1990. Surgiu, então, um mundo mais complexo, com o crescimento global do capitalismo. Sabemos que a tal "complexidade" é o horror dos idiotas e dos reacionários.

Depois da era Bush, da eclosão da Al Qaeda, ambas desejando a paralisação do século XXI, temos agora um mundo com dificuldade de casar duas épocas – o tempo do bem e do mal e uma democracia internacional, multipolar e sem rumos lineares. Para nosso desespero, das ideologias que tanto amamos, sobraram apenas a fé e a esperança, dois sentimentos odiados pela paranoia, a doença do novo século. Depois da época do sim e do não, temos hoje o tempo do "talvez", do "quem sabe?".

LAGOSTA, FOIE GRAS E CARNE DE GANSO

"Todo mundo gosta de abará, ninguém quer saber o trabalho que dá" *[frase da música "A preta do acarajé", de Dorival Caymmi]*. Todo mundo fala da fome que corre no planeta globalizado, da exclusão dos países emergentes, das dívidas externas impagáveis, mas ninguém sabe como dar um fim a esses problemas. Portanto, a ONU acaba de inaugurar uma nova inutilidade: a Cúpula Mundial da Fome. Como foi inaugurada a cúpula? Com um almoço para 3 mil delegados do mundo todo, servido por 170 garçons. Do menu, constavam *foie gras* com kiwi e lagostas ao vinagrete, seguidos de deliciosa carne de ganso recheada de azeitonas. Como sobremesa, compota de frutas. Os mais graduados comeram também crepes de cogumelos, risoto com laranja e salmão com polenta. E todos discutiram a fome na África, no Brasil e na Coreia do Norte. Esse almoço demonstra a impotência hipócrita da ONU e dos chefes de Estado em lidar com problemas internacionais da economia globalizada.

Poucos líderes importantes foram à reunião, e os Estados Unidos se limitaram a dizer que a fome se combate com mercado aberto e livre comércio. Justamente eles, que se fecham aos produtos dos países pobres. Como disse um líder africano, a fome é causada pelo protecionismo dos países ricos. Falou-se também do perdão da dívida externa dos desgraçados, mas nada avançou. Nenhum credor quis perdoar dívida nenhuma, a não ser mixarias complicadíssimas, cheias de imposições políticas inaceitáveis. As dívidas serão abatidas apenas quando os miseráveis países se unirem a uma ONU suja e pobre e declararem moratória conjunta.

Mas os poderosos estão vigilantes, impedem qualquer união dos excluídos, ou seja, se dependermos da bondade de estranhos, metade do mundo vai continuar vivendo com menos de um dólar por dia. E a fome? Bem... Pelo menos 3 mil delegados mataram a fome no banquete da ONU. Saíram de consciência tranquila. Nada melhor que lagostinha e crepes de cogumelo nas barrigas para acalmar consciências culpadas.

14-6-2002

O MUNDO EM PARAFUSO

Desde que esse homem, esse tal de Bush *[George W., presidente dos* EUA *por dois mandatos, entre 2001 e 2009]* foi eleito, o mundo entrou em parafuso. Os Estados Unidos, que ostentavam títulos de muitas coisas ruins, como imperialistas, mercantilistas etc., eram campeões em um quesito: na moralidade administrativa de suas empresas. O imposto de renda americano era o mais sério instituto do capitalismo. Os americanos podiam até insuflar corrupção em países vagabundos, mas dentro de casa era pureza total, seriedade contábil e financeira. Até isso foi para o espaço.

A sucessão de escândalos em grandes empresas que roubavam na contabilidade e a quebra de confiança no mercado de ações estão deixando o povo americano em um beco sem saída. A classe média, que aplicava em ações, está vendo suas economias derreterem. Por quê? Porque o capitalismo durante os anos 1990 foi se transformando em um misto de verdade com mentira. O capitalismo sólido, produtor de bens, passou a ficar menos interessante do que o capitalismo de vento, de nuvens, de mentiras. O capitalismo virtual, financeiro, que não produz nada e vive da velocidade da internet, é muito mais lucrativo. E as empresas tradicionais foram perdendo a vergonha, a ética, o "desconfiômetro", e começaram a maquiar os balanços, a embutir prejuízos. Descobriram que no mundo virtual, sem a âncora dos produtos, é muito mais fácil mudar zeros da esquerda para a direita e confundir "dever" com "haver".

Os anos 1990 empurraram os empresários a lucros monumentais. E, como sabemos, depois que se perde a virgindade, não dá mais para costurar. O que está acontecendo na América é um exemplo para o mundo. Cada vez mais a sociedade vira um detalhe. E a vida passa a ser comandada por grandes corporações, para as quais a grande utopia seria uma sociedade sem política e sem direito, apenas com economia e finanças. Até sem povo. Ou seja, não somos mais necessários – ou como dizem em Wall Street: "*Never give a sucker an even break*". Tradução: nunca dê colher de chá aos babacas – que somos nós.

22-7-2002

O INEVITÁVEL
JÁ ACONTECEU?

O escritor Fernando Sabino, muitos anos atrás, tinha um pesadelo recorrente. Sonhava com uma manchete de jornal apavorante, em que se lia em letras garrafais: "O INEVITÁVEL ACONTECEU!". Ele acordava suando frio, porque a suprema tragédia do mundo havia, enfim, acontecido. Pois estamos começando a viver um pesadelo histórico, e não é o inevitável. Está surgindo no mundo um personagem terrível, o insolúvel: "Como é seu nome, senhor?". "Insolúvel. Insolúvel de Oliveira, muito prazer." Nada mais tem solução.

A tevê e o jornal veiculam que nada se resolve. Vemos impasses e acúmulos de problemas. Porque os problemas crescem rapidamente e as soluções são lentas. Será que veremos, um dia, a manchete:

"Acabou a guerra no Oriente Médio"? Ou, então, "Declarada a fundação do Estado palestino" ou "Índia e Paquistão se abraçam com amizade"? Ou até coisas mais simplezinhas, que não se resolvem jamais, como no Brasil: "Polícia consegue acabar com celulares na cadeia".

Será possível resolver o problema barra-pesada das periferias, em que as pessoas são cidadãs, e não refugos, sobras jogadas no lixo social? Ninguém sabe. Os instrumentos de ação são antigos e ineficazes. Quando o mundo vai impedir a continuação do horrendo conflito entre árabes e judeus, com homens bomba se explodindo de um lado e um assassino de direita, como o Sharon *[Ariel, ex-primeiro-ministro de Israel]*, massacrando do outro?

Em vez de procurar soluções, a maior nação do mundo, os Estados Unidos, está mudando de problema. Inventa bodes expiatórios e desculpas para fugir das respostas, como fez Hitler com os judeus. Bush vai atacar o Iraque para distrair a atenção da América e do mundo para as falcatruas de suas megaempresas corruptas. Isso é grave, é uma coisa típica de fases históricas marcadas por grandes tragédias, como antes da Segunda Guerra Mundial. Pode ser que a tal manchete pesadelo do Fernando Sabino seja real. Vai ver que o inevitável já aconteceu.

26-7-2002

QUE BEM
O MAL NOS FEZ?

Hoje é 11 de setembro. Um ano atrás, caíam as torres do World Trade Center em Nova York. Foi o dia em que Osama bin Laden mudou o mundo. Já xingamos esse Osama de tudo: canalha, cão assassino, flagelo de Deus, profeta do caos. Maldito seja, Osama. Mas de que adianta xingá-lo um ano depois? O que as pessoas ganham com isso? Minha mãe dizia que há males que vêm para o bem. E que bem o mal nos fez?

Osama fez saber que havia bilhões de pessoas no mundo ainda ignoradas por nós. Descobrimos o Oriente, descobrimos que há outras culturas. Descobrimos que a tecnologia pode ser burlada pela imaginação. Descobrimos que a miséria ataca se for bem armada – em Nova York e no Complexo do Alemão *[favela na zona norte do Rio de Janeiro]*. Descobrimos que o império americano terá que fazer autocrítica. E terá que se modificar, como fez depois do Vietnã.

Descobrimos também que o fanatismo nasce nas teocracias sórdidas do Oriente, mas que são aliadas da América por causa do petróleo. Descobrimos que há loucuras no mundo: o fundamentalismo deles contra o nosso. De algum modo, estamos mais próximos da verdade, da nova verdade. Isso pode ser duro, mas é um bem. Descobrimos que Osama fez um grande bem a Bush, até porque o que seria dele se não tivesse havido o 11 de setembro?

11-9-2002

UMA VELA
PARA DEUS,
OUTRA PARA O...

Muita gente acredita no Hugo Chávez, porque ele encarna o típico revolucionário da tradição latino-americana. É o milagreiro, o salvador da pátria, o messias que vem em um cavalo branco, feito Simón Bolívar mais de um século atrás. Mas, afinal, o que vai acontecer na Venezuela? Bem, imagine um jogo de futebol sem juiz – Santos e Corinthians – e verá que essa é a situação da Venezuela. Não há nenhuma instituição dentro ou fora do país, nem OEA, nem ONU, que possa dar legitimidade a alguma decisão interna. O Supremo Tribunal da Venezuela, por exemplo, manda acabar com a greve dos petroleiros. Os grevistas dizem: "Não obedecemos!".

O governo não pode acender uma vela a Deus e outra ao diabo. Chávez foi eleito democraticamente, mas quer mudar as regras do jogo e aplicar uma velha política de Terceiro Mundo, como se estivesse com saudades de Cuba e de Fidel Castro. Chávez mudou a Constituição e as instituições, quis usar a democracia para depois fazer uma ruptura. O resultado pode ser o caos ou a guerra civil. Considerar a democracia um meio para se chegar a um fim nunca deu certo e nunca dará. A democracia tem que ser um fim em si mesmo.

Na democracia, que precisa ser aceita radicalmente, podem-se buscar avanços sociais, melhorias de condições de vida para o povo, progresso. Não se pode deixar seduzir pelo populismo pseudorrevolucionário e regressista, querendo voltar à América Latina dos anos 1960 ou 1970. A verdadeira revolução na América Latina é a assunção radical da democracia.

23-12-2002

O URUBU QUE POUSOU NA SORTE

O Brasil e o mundo todo foram tocados pela tragédia da morte do embaixador Sérgio Vieira de Mello no Iraque, depois de uma vida dedicada à paz, ao humanitarismo, à defesa dos fracos e dos pobres. Nada é por acaso. Não foi um acidente. É o resultado de um erro a que estamos assistindo há dois anos, desde o nascimento do Hulk-Bush, do caubói-Bush, depois do 11 de setembro de 2001. A partir desse momento, esse senhor passou a transformar a vida do mundo em um bode preto.

Usando a tragédia americana como pretexto para ganhar prestígio interno, Bush mudou o rumo da política internacional. Invadiu o Afeganistão e criou uma política belicista sem precedentes no mundo. Resolveu arrasar o Oriente, e refazê-lo, instalando o que chama de "democracia no tapa". Sabemos que democracia, para ele, é apenas o intervencionismo da doutrina Rumsfeld *[Donald, ex-secretário de defesa dos Estados Unidos]* para impor o poderio militar americano ao mundo. Contra todas as opiniões sensatas do planeta, principalmente da Europa, Bush invadiu o Iraque e desprezou radicalmente a ONU para desmoralizá-la, porque considera os Estados Unidos um país forte demais para se submeter às regras da democracia internacional.

Bush dividiu a Europa, ignorou o papa, não deu ouvidos a ninguém, a não ser à indústria de armas, que financiou, e aos falcões corruptos, que lidam com o petróleo e com o Pentágono. Obedeceu aos psicopatas que o assessoram, gente doente, maluca e vingativa que invadiu o Iraque, cumprindo todos os desejos de Osama bin Laden, que queria exatamente os Estados Unidos aprisionados em uma cilada, dentro de um novo Vietnã do deserto, matando jovens soldados americanos na base de um por dia.

Desde a invasão do Iraque, confirmaram-se todos os prognósticos de todos os analistas políticos. Aumento do ódio à América, criação de mais homens bomba, crise sem solução, rearmamento do mundo. Não previamos apenas que esse grande homem, Sérgio Vieira de Mello, seria vítima da estupidez de Bush, porque Bush é responsável, sim. Depois da semiderrota da guerra no Iraque, a ONU foi para lá tentar consertar a catástrofe e, no comando disso, estava nosso compatriota, que tinha liderado a paz no Timor Leste, em Kosovo e em tantos outros conflitos.

Sérgio Vieira de Mello era tudo o que Bush odiava: multilateral, democrata, pacifista. Sua morte vem confirmar o que Bush é, o urubu que pousou na sorte do mundo. Esse urubu vai continuar errando e prejudicando seu próprio país. Só peço a Deus que a morte de Sérgio e a catástrofe no Iraque ajudem a impedir a reeleição de Bush, que ajudem a tirar esse flagelo do poder americano.

20-8-2003

O HOMEM BOMBA
DE BIN LADEN

Se pudéssemos ouvir uma conversa de Bin Laden com seu Estado Maior, o que ouviríamos? Vamos imaginar o Osama falando:

"Meus irmãos, aqui reunidos nesta caverna, podemos conversar em paz em nome de Alá, que nos fez travar essa guerra contra os cães infiéis do Ocidente. Essa vitória contra a ONU é uma felicidade. Foi uma linda explosão. Louvado seja Alá. Estamos no caminho certo, porque Alá me deu a grande ideia: lancei os aviões americanos contra a América, e agora estou lançando Bush para destruir o Ocidente. Bush está fazendo tudo o que quero, me obedece, segue direitinho todas as ordens. Bush é meu homem bomba. Vai lançar o caos no mundo todo, abrindo as portas do inferno na Ásia e na Europa.

Irmãos, com a ajuda de Alá, consegui lançar a nação mais poderosa do mundo, com 500 bilhões de dólares em armas, contra o nada. Ela vai atacar o vazio. De que vale tanto poder militar contra nossos mártires? Se quisermos, não precisamos nem nos "aporrinhar" arquitetando um ataque aos Estados Unidos. Basta que fiquemos em silêncio. Um silêncio assustador. Nunca mais eles terão sossego. O silêncio será sempre sinônimo de perigo. Por isso, não houve vitória no Iraque.

Milhões de novos bombardeios vão surgir no Oriente Médio. Nunca uma nação será tão odiada como a América. Bush vai trazer o caos ao mundo e não seremos nós os atingidos. Bush vai desorganizar as conquistas culturais do Ocidente, do século XVIII para cá: razão, tolerância, democracia.

Os americanos caíram na minha isca e vão fazer tudo o que eu quiser, irmãos. Começa agora uma guerra infinita. Eles acham que estão me combatendo, mas somos invisíveis. Estão combatendo e destruindo seus amigos e a si mesmos. Quando a máquina da boçalidade se desencadeia, ninguém segura mais a produção de erros. Despertei o monstro americano e estou obrigando os Estados Unidos a serem uma potência solitária, uma máquina guerreira isolada, porque vou obrigá-los a destruir a democracia a pretexto de defendê-la, com o apoio de centenas de ignorantes do país deles. Louvado seja Alá!".

De um lado, temos um estrategista fanático fundamentalista, mas muito inteligente. Do outro, na América, um fundamentalista fanático, mas burro.

21-8-2003

UMA VACINA DEMOCRÁTICA, POR FAVOR

O sexo mudou o mundo atual. As visitas noturnas que Monica Lewinsky fazia a Clinton *[Bill, presidente dos EUA por dois mandatos, entre 1993 e 2001]*, aquelas noites ardentes na Casa Branca, provocaram a derrota do otário do Al Gore, o vice de Clinton que ficou com medo de defender na campanha eleitoral o nosso simpático Bill. Porque a mulher dele poderia dizer: "Ah, você está defendendo o sem-vergonha do Clinton? Você deve ter também uma amante estagiária".

Bush foi eleito com fraude e tudo. E, hoje, estamos nesse inferno que esse homem doente criou. Mas, por baixo de tudo isso, está a tremenda repressão sexual dos puritanos da América, que exigiram o impeachment do Clinton por causa de um reles adultério. Nem pensam em expulsar Bush do poder, justamente ele, que está destruindo o Ocidente. "Sexo não pode, guerra, sim. Façam a guerra, não façam o amor", é o que querem dizer.

As cenas de tortura e de humilhação que os soldados americanos promoveram no Iraque são também cenas simbólicas de sexo, reparou? Sob o crime, há um trauma sexual. As cenas que vimos mostram prisioneiros nus, empilhados, sob o riso de soldados, que apontavam os genitais deles com desprezo. Guerra, tortura e sexo unidos finalmente.

As fotos parecem flagrantes de orgias, como se os americanos fossem castrar ou estuprar os prisioneiros. As cenas misturam sexo com guerra e com morte, até porque há outra coisa que as fotos lembram: as montanhas de corpos de judeus massacrados em Auschwitz e Treblinka. O mundo está cada vez mais doente com a chegada desse vírus repugnante chamado Bush e seus micróbios assessores. Vem aí uma epidemia pior. Precisamos de uma vacina democrática.

6-5-2004

INFERNIZANDO
A AMÉRICA DO SUL

Americano adora associar outros países à sua loucura paranoica. Não se conforma muito com a relativa independência da América do Sul em relação aos seus desejos estratégicos, militares e comerciais. A vontade de transformar as Américas em um só continente unido sob a liderança dos Estados Unidos é clara. Sente-se por trás do combate às drogas na Colômbia uma vontade de interferência na política do Sul. Ali, tão perigosamente próximo à Amazônia, sente-se a tendência de unificar tudo, como se os países do Sul fossem a mesma coisa. Para os americanos, aliás, somos todos iguais.

A Alca *[Área de Livre Comércio das Américas]* é um plano para comandar o comércio do hemisfério sob a liderança dos Estados Unidos – a mesma Alca que está andando em banho-maria, porque Bush pensa apenas em sua eleição e em como tirar seus cavalinhos da chuva, ou melhor, das areias do Iraque.

Uma das poucas alegrias de ser brasileiro é estar longe da rota do terrorismo. Somos um povo multicultural, sincrético, tolerante em religião, e estamos a centenas de milhas do bode preto que o Bush armou na Ásia. Pois não é que toda hora esses gringos invasivos querem botar a gente na fogueira deles? Ameaçam que a tríplice fronteira, em Foz do Iguaçu, seria um ninho de terroristas, de financiadores, de árabes perigosos. O secretário do Tesouro Americano diz que a movimentação em dinheiro é enorme e que, talvez, seja dinheiro para a Al Qaeda. A grana que rola ali é grana do Paraguai, da Argentina e de nossos primos brasileiros. Tem grana de contrabando? Tem. Tem muamba de todo tipo? Tem. Tem alguma droga? Também tem. Mas querer chamar aquilo de santuário da Al Qaeda é demais. Querem pretexto para infernizar nossas vidas botando a América do Sul na rota deles. Xô, xô, ianques guerreiros, falcões sem-vergonha. Estão destruindo a democracia tradicional do grande país que os Estados Unidos são, ou eram. Xô, urubus. Vão lidar com seus bodes longe daqui. Nossas religiões são outras. Que Exu Caveira barre seus caminhos, ianques.

26-8-2004

A AMÉRICA E A AREIA MOVEDIÇA

Fez trinta anos que terminou a Guerra do Vietnã. Essa guerra marcou época. Minha geração acompanhava dia a dia a luta dos pobres-diabos heroicos vietnamitas contra a nação mais poderosa do planeta. O dia mais emocionante para os jovens dos anos 1960 foi a ofensiva vietcongue do ano novo lunar, o *teth*. Em 1968, no dia 30 de janeiro, quarenta cidades dominadas pelos invasores americanos foram conquistadas à mão limpa, na faca, pelos vietcongues. Entraram até na embaixada americana em Saigon. Foi um carnaval de antiamericanismo no mundo inteiro. A partir daí, a guerra foi acabando, acabando, até 1975.

Essa grande derrota americana mudou a América. Houve uma onda de progresso ético, de pacifismo. Cresceu uma América nova, que fez autocrítica em busca de uma nova democracia. Parecia que o país mudaria para sempre. Mas a direita americana não aprendeu nada. O Iraque, hoje, é um Vietnã seco. Repete-se no deserto o mesmo erro, com um agravante: os vietcongues lutavam por sua pátria, enquanto os iraquianos e os terroristas lutam pela terra e pela religião. Morrem sorrindo por Deus.

Hoje, mais explosões desmoralizam essa democracia imposta não democraticamente. Os vietcongues eram heróis que buscavam a paz. Os terroristas e os homens bomba são loucos que desejam a morte e a guerra eterna. A América pisou novamente no mesmo atoleiro. Se antes eram pântanos molhados terríveis, hoje são areias movediças que vão desestabilizar o Oriente inteiro.

3-5-2005

UM BARRIL
DE PÓLVORA

A Bolívia está explodindo. Esperemos que isso não seja um sintoma de nosso futuro e do futuro da América Latina, mas a barra está pesando lá porque, além da miséria e da corrupção política, há também um grande racismo misturado à pobreza. A miss Bolívia, que mora no leste, na região mais rica do país, disse: "Todo mundo pensa que na Bolívia só existe índio. Nada disso. Aqui, somos altos, brancos e falamos inglês". Ou seja, a minoria branca, que é menos de 15%, manda no poder há séculos. Os outros 85% da população são feitos de índios quíchuas e aimarás, que vivem jogados em minas de cobre e estanho ou em poços de petróleo e gás. Setenta por cento da população está mergulhada na miséria profunda, mascando coca, que, aliás, é uma das poucas exportações da Bolívia para os narizes do mundo todo e que estimula a violência e o tráfico até no Brasil.

Com a grande crise em torno do gás boliviano, do petróleo, dos hidrocarbonetos, a população está encontrando um motivo para desencadear uma revolução meio maluca, ao querer fazer a estatização de tudo, de todas as riquezas. Dá para entender. Um povo miserável e analfabeto não acredita por muito tempo na democracia representativa. Pois em países com tradição colonial, como o Brasil e os países hispânicos, as elites tendem a achar ótima a democracia, desde que fique na superfície, reprimindo as classes baixas ao acesso à riqueza. Ao fim de algum tempo, a democracia começa a sofrer desgaste e a provocar desconfiança – e, então, o caminho fica aberto para ditadores. Já se sente um vento autoritário no continente.

O líder da Central Operária Boliviana, Jaime Solaris, declarou: "Que pena que o nosso chefe não é Hugo Chávez". Os militares de lá dizem também: "O povo quer que os jovens oficiais dirijam a nação". A democracia na América Latina não é vocação, é surto. Vive em um pêndulo que vai para cá, vai para lá – democracia e depois autoritarismo populista. Estamos assim há séculos. Além da Venezuela, temos populismos *light* na Argentina de Kirchner *[Néstor, na época presidente]*, que esconde o caos nacional por causa das bravatas contra o Brasil e a América.

Aqui, a primavera de ladrões, esses chafarizes de corruptos, está contribuindo para desacreditar a democracia. A falta de competência desse governo, a miséria e a violência podem nos levar a um populismo maluco e suicida no futuro. Espero estar errado.

31-5-2005

DERRETIDAS COMO SORVETE QUENTE

Há sessenta anos, os americanos destruíram a cidade de Hiroshima. Disseram que o Japão iria invadir o arquipélago e que poderiam morrer 400 mil americanos – essa foi a justificativa. Mentira. Nesse dia, a guerra já estava ganha. O Japão estava rendido, na prática, de joelhos. A bomba atômica era desnecessária. Foi lançada para começar outra guerra, a Guerra Fria. Foi para atemorizar a União Soviética, recente aliada e já inimiga principal. Será que os Estados Unidos aprenderam com esse crime? Acho que não.

Vietnã, Iraque, e agora o Pentágono está recauchutando velhas bombas atômicas para ficarem mais jovens. É verdade. São 11 mil bombas só na América. Do holocausto judeu nos lembramos. E dos 200 mil que morreram em segundos em Hiroshima? Esquecemos que houve Nagasaki três dias depois. O que nos choca é a falta de crueldade nesse crime. Não houve emoção, foi tudo bem eficiente, um modo bem americano de matar. Em vez da velha máquina industrial alemã, que destruiu 6 milhões de judeus, o modo americano de matar apelou para o detergente, uma espécie de mata-baratas que raspou a vida em Hiroshima.

Ah, mas houve um detalhe emocionante: o avião que soltou a bomba tinha o nome da mãe do piloto americano na fuselagem: Enola Gay. Sob a benção da mãe, o piloto pariu a bomba que desintegrou 40 mil crianças em quinze segundos. Incrível. Aliás, amanhã vai explodir outra bomba atômica, em Nagasaki, e vão morrer mais 70 mil pessoas derretidas como sorvete quente. Que competência técnica desses americanos, não? Eles são um orgulho para a humanidade.

8-8-2005

UMA CHOCADEIRA
DE HOMENS BOMBA

É impressionante como a história do mundo varia de repente e tem ataques epiléticos súbitos. Desde que Bush foi eleito contra a racionalidade do Ocidente, um urubu pousou na sorte da América e da humanidade. Bush errou sempre e com tamanha persistência que parece até acerto. Não me esqueço de seu discurso para os alunos da Universidade de Yale, onde ele se formou, quando disse que era a prova de que um mau estudante que tirava zero podia ser presidente da América. Foi o triunfo do idiota, do Forrest Gump que chegou ao poder do mundo.

Não me esqueço também de sua cara de tacho, de sua cara paralisada, quando ouviu a notícia do ataque de Osama às torres de Nova York. Ficou como uma empada abobalhada – sua cara revelou toda a sua incompetência. Em vez de atacar Osama, invadiu o Iraque, contra todos os homens sábios do planeta. Preferiu obedecer aos donos do petróleo e da indústria de armas.

Bush matou mais de 2 mil jovens soldados americanos e destruiu o Iraque, que tem saudades hoje de Saddam Hussein *[ditador que comandou o país entre 1979 e 2003]*. Criou a chocadeira de milhares de homens bomba e é o responsável indireto pelos atentados na Europa, além de sujar o nome da América para sempre. Protegeu os ricos e ferrou os pobres, criando o maior deficit público da América. Agora, com os furacões, Nova Orleans foi destruída e outras cidades estão à beira do caos. As catástrofes naturais estão mostrando como Bush e o espírito republicano da América estão preparados apenas para defender indivíduos privilegiados e o mercado. Na hora de defender a coletividade, a América mostra-se incapaz e claramente se revela incompetente.

A morte de pretos e pobres evidencia o descaso pelos excluídos, indica que há um Terceiro Mundo, um Haiti, dentro da América. O que acontece nos Estados Unidos entre miséria, guerra de trapalhões no Iraque e furacões parece até vingança de Alá. É espantoso o pé-frio desse homem nefasto, essa praga do Ocidente. Bush ficará na história como o sujeito que iniciou a derrocada dos Estados Unidos. Idiotas e doentes não podem ser eleitos. A única vantagem dessa desgraça toda é que talvez os republicanos sumam do mapa. Louvado seja Alá.

23-9-2005

IMBECIS NO PODER

A história, às vezes, tem ataques epiléticos. Já tivemos de tudo em matéria de loucura, violência, tragédia. Isso continua nas guerras, que explodem no Iraque e no Oriente Médio, ou no terrorismo, mas há uma coisa nova no ar: a imbecilidade no poder. Parece que os idiotas foram transformados em ídolos, em deuses das multidões. Basta um sujeito ser bem estúpido, parvo, babando na gravata as piores bobagens, que é eleito ou então transformado em líder político.

Bush, na qualidade de imbecil máximo, foi escolhido por 60 milhões de pessoas nos Estados Unidos e conseguiu ser reeleito. Em vez de ir atrás do Osama, depois de esse último ter atacado as torres de Nova York, Bush invadiu o Iraque – uma mistura de imbecilidade e esperteza, porque foi atrás do petróleo e de contratos bilionários das empresas de Dick Cheney, seu vice.

Mas Bush não está sozinho. No restante do mundo, a ascensão dos imbecis é grande. Na América Latina, o presidente da Venezuela, Hugo Chávez, com sua cara de segurança de show de rock, é mais um imbecil esperto, porque a burrice não quer dizer falta de malandragem. Ser burro, muitas vezes, ajuda na vigarice. Pois bem, esse homem da Venezuela faz sucesso com o povo de lá, assim como deslumbra intelectuais pelo mundo afora.

Outro idiota eleito foi Evo Morales, o "cocaleiro" da Bolívia. Ele disse que vai criar o socialismo indígena, o comunismo da cocaína – e é considerado progressista por muita gente informada. Pode? Agora, o maior imbecil de todos é o presidente do Irã, Mahmoud Ahmadinejad. Viu a cara dele? Parece personagem de desenho animado, um ratinho com barbicha. Ele disse que vai destruir Israel e que não houve matança de judeus na Segunda Guerra Mundial. Que é tudo mentira. O Holocausto foi papo furado. O mais incrível é que Fidel Castro vai convidá-lo para ir a Cuba – junto com o Chávez. Na cabeça desses idiotas, quem for contra o Ocidente é amigo deles. Vivemos realmente uma ditadura de cretinos, o cretinismo revolucionário. Babe nas gravatas, leitor, que todos serão felizes.

21-2-2006

O CONTO
DO VIGÁRIO

Querido presidente, será que o senhor não percebe que está sendo vítima de uma conspiração de poder? Não vê que, embalado pela política externa ridícula e terceiro-mundista arquitetada pelo Itamarati – como os latinos são nossos irmãozinhos –, o senhor está caindo no conto do vigário de Hugo Chávez? Isso mesmo, aquele que tem cara de leão de chácara de sauna gay. Aquele sujeito que, com seu beicinho agressivo de fascista, posa de revolucionário na América Latina. O senhor não percebe a tramoia que ele está armando para ser líder populista do continente todo?

Por mais que esteja vivendo a velhice de ditador maluco, Fidel Castro foi um grande revolucionário. Sabe por quê? Porque pegou a metralhadora e foi para a floresta durante anos com outros heróis, como Che Guevara e *[Camilo]* Cienfuegos *[um dos principais personagens da Revolução Cubana contra o governo ditatorial de Fulgencio Batista]*. Esses eram machos, corajosos. Já os neopopulistas que governam a Venezuela, a Bolívia e a Argentina usam a democracia para subir ao poder – depois, a corroem e viram ditadores.

O senhor, presidente Lula, dirige um país muito mais rico e complexo que essas republiquetas fracassadas e não pode bater cabeça com o leão de chácara Chávez. Ele está usando todo mundo, amparado na grana que recebe do petróleo. Está usando o índio cocaleiro da Bolívia como seu capanguinha para provocar o Brasil. O Chávez tem uma inveja danada do senhor, porque o senhor continua sendo o queridinho da Europa, o mascote dos esquerdistas da França, da Itália. O Chávez quer lhe dar uma rasteira, e sabe apoiado em quê? Em sua dúvida. Em sua cabeça dividida entre a democracia e o lixo teórico que idiotas do PT lhe enfiaram na cabeça nos últimos 25 anos.

Esse governo do senhor é dividido entre o presente democrático e uma utopia ridícula, que um dia faria o velho socialismo no século XXI. O Chávez vai se aproveitar disso. Sabe o que mais? Sabe quem anda em contato com o Chávez? O Zé Dirceu, que deve estar lhe segredando no ouvido: "Vai, Chavão, provoca o Lula para ver se ele radicaliza e parte para o neopopulismo unilateral e irresponsável. Provoca o

Lula, porque quero ver o circo pegar fogo. Quanto pior, melhor". Cuidado, Lula. Dirceu em carne, ou em espírito, já ferrou o senhor uma vez. Ferrará outras.

5-5-2006

A FÉ QUE PODE DESTRUIR

Enquanto o Brasil se debate na reeleição, o mundo gira louco lá fora. A Coreia do Norte explodiu a bomba atômica sob os olhos imbecis do Bush, que só pensou até agora no Iraque. A Coreia do Norte é um pesadelo que só mesmo o velho stalinismo foi capaz de produzir. É uma anomalia. E o presidente da Coreia do Norte é outra anomalia. Parece um porco-espinho com aquele cabelo para cima, com aquela cara fechada de ditador, e, no entanto, é o "pai do povo". Todos têm que obedecer-lhe e imitá-lo sob ameaça de morte. São milhões de seres marchando unidos por uma ideia fracassada.

O país é um ferro-velho, um depósito de detritos. Nos últimos cinco anos, morreram mais de 2 milhões de coreanos de fome, e, mesmo assim, Kim Jong-il, o ditador, o filho do outro, Kim Il-Sung, ainda é o pai da pátria. No totalitarismo, o povo vai enlouquecendo e resta a ele apenas a fé, a superstição – pior, o povo acaba amando seu carrasco.

Enquanto isso, a Coreia do Sul, democrática, fez as reformas de Estado, da educação, e é hoje uma das mais brilhantes nações do mundo. Esses dois países são irmãos e estão divididos pela mesma questão: democracia ou fanatismo? Estado totalitário ou diversificação econômica? No Brasil, estamos diante do mesmo dilema: Estado falido devorando a sociedade ou reformas democráticas enriquecedoras e modernizadoras? Como na Coreia do Norte, no Brasil o povo pensa em política com fé. A fé que move montanhas, mas que destrói países.

16-10-2006

PARA LÁ
E
PARA CÁ...

Estudantes entraram em confronto com a polícia e com inúmeros militantes chavistas em protesto contra a reforma constitucional que dará amplos poderes ao presidente Hugo Chávez, da Venezuela. A reforma da Constituição permitirá que ele seja eleito quantas vezes quiser.

A América Latina é uma espécie de pêndulo – para lá e para cá, para lá e para cá. Nossa formação colonial, com elites egoístas e predatórias, impede a mínima democracia social. Existe somente a democracia formal, ilusória, para legitimar os donos do poder. A miséria fica intocada c, aos poucos, cresce o desespero popular. E o pêndulo volta a se mover para lá e para cá. Vai do lado democrático para o lado autoritário.

Sempre aparece um messias arrogante que se transforma em uma espécie de ditador. Vira um ditador nacionalista. Promete reformas radicais, salvação nacional, enriquecimento do povo, assim como o Chávez. E depois rompe com as regras da economia mundial, com os capitais externos, e aos poucos tudo começa a dar errado. A burguesia passa a sabotar, e o pêndulo se move de novo para lá e para cá. Cai a ditadura brutal e inoperante e volta a democracia de mentira. Isso sempre aconteceu na Bolívia, no Peru e no Brasil também. Mas, na Venezuela, há um fato novo: um tirano, empanturrado de dólares de petróleo, cercado de uma nova classe corrupta e tomado de uma psicose expansionista.

Com o petróleo, ele está comprando armas modernéssimas e já ameaça invadir a Bolívia para defender o Evo Morales, seu ajudante de ordens. Com o fracasso inevitável de sua ditadura, o Chávez vai partir para provocações armadas, de modo a manter seu apoio interno na Venezuela. Talvez ele faça provocações até contra nós – cuidado, hein, Lula. Porque, agora, o Chávez poderá explodir toda a América Latina.

24-10-2007

OBAMA
É POESIA

Barack Hussein Obama é um homem de grande valor. Faz o sucesso que faz porque é um negro não revoltado, o não pantera negra. É um negro sem rancor. Ele fala o que todos querem ouvir: *change*, que quer dizer "mudança". Ninguém sabe como mudar a América que o Bush devastou.

Obama diz que vai acabar com a guerra, com o partidarismo, com os *lobbies*, com a tirania do petróleo. Vai defender a ecologia. Não explica como, mas todos querem a esperança, não se sabe bem de quê. Todos querem algo impossível de ser realizado, todos querem uma coisa pela qual valha a pena viver. Obama promete isso.

Obama mobiliza uma coisa mística: a fé. Obama é quase um trocadilho. O que Osama fez pelo mal,

Obama quer fazer pelo bem. Obama é uma utopia, mas a fome de utopia é hoje maior do que promessas de experiência.

McCain e Hillary são prosa, Obama é poesia. Obama dá a seus eleitores brancos a oportunidade de se absolver por séculos de discriminação racial. Além disso, é jovem, tem uma mulher bonita, e isso faz dele uma espécie de Kennedy *black*. Obama é *sexy*.

13-2-2008

MENTIRAS E COSTUMES

Um dos traços terríveis do mundo em que vivemos é que as pessoas vão se acostumando com o horror, com o erro, com a mentira. Não falo do Brasil propriamente, onde isso viceja. Falo desse vasto território da história atual. Quem liga para a África, por exemplo, para o genocídio sistemático, contínuo? Quem ainda liga para a guerra no Iraque? É espantoso.

Vamos ficando anestesiados, porque o poder é tão sólido, tão acima de protestos e vaias, tão além dos vexames que todo mundo vê, e a mentira é tão mais poderosa do que a verdade, que os cidadãos não podem fazer nada. Chegam à conclusão de que nada mais importa. Dizem: "Dane-se, vou pensar na minha vida".

O Iraque é o erro mais óbvio, o absurdo mais evitável cometido na história recente. E, no entanto, o comandante supremo das tropas americanas disse que elas vão continuar lá e que o contingente de soldados não será diminuído. O americano John McCain, republicano, guerreiro, em uma entrevista coletiva respondeu a um jornalista americano:

– Quanto tempo mais vai levar para que as tropas saiam do Iraque? Cinquenta anos?

– Se for preciso, meu amigo, levaremos cem anos.

Todo mundo acha um escândalo, mas os comandantes americanos não acham. Porque, no raciocínio reacionário dos republicanos, na lógica suja do Bush, essa guerra é uma vitória em si, uma vitória somente por existir. Gente inocente pensa: vitória ou derrota, entra ou sai – não, não é assim que eles pensam.

A ideia é ficar para sempre encravado no Iraque, no Oriente Médio, para impedir qualquer domínio dos árabes sobre o petróleo. Estar lá já é uma vitória. Se morrerem jovens americanos, dane-se.

Em vez do ótimo Barack Obama, ou até da "miss Frigidaire", a Hillary Clinton, o dono do mundo pode ser John McCain. O cara é feroz, xinga todo mundo, chama os outros de nomes que não posso publicar aqui. Um dia, em campanha, ele estava junto de sua mulher, Cindy, que brincou ao passar a mão na cabeça dele. E disse:

– Está ficando carequinha aqui, hein?

Ele reagiu com violência:

– É melhor do que ficar enchendo a cara de maquiagem com *botox* como você faz, sua v...

Disse isso na frente de jornalistas. Não é o presidente ideal para o mundo de hoje? A gente vai se acostumando a tudo.

11-4-2008

PROVOCAÇÃO CONTRA A ÉTICA

Tevês do mundo inteiro mostraram um vídeo com torturas e interrogatórios violentos na base de Guantánamo, em Cuba. Guantánamo é uma provocação antiga. É um pedaço da ilha que está nas mãos dos americanos desde a ditadura de Batista *[Fulgencio, presidente deposto por Fidel Castro]*.

Depois do 11 de setembro, Guantánamo virou também uma provocação contra a ética do mundo ocidental. Porque contraria todas as regras, não digo de direito, mas de tratados de guerra, de campos de concentração. A bravata boçal da gangue de Bush e o ódio que tem da democracia ficaram expostos ali em Guantánamo, como se dissessem: "Somos a turma da pesada, aqui não tem frescura europeia, não. Aqui é o Velho Oeste de Bush, o Texas que não perdoa".

Guantánamo legitima também a chamada "política do medo", que permitiu que Bush emplacasse a ata patriótica e todas as medidas de exceção para acabar com essa "chata" democracia americana. Guantánamo foi antessala de Abu Ghraib, a prisão no Iraque em que assistimos àquele show de tortura com pornografia – muçulmanos nus foram humilhados debaixo do focinho de cachorros.

A era Bush vai acabar, embora eu tenha medo de que ele não deixe barato – pode sair atirando, espero que não seja contra o Irã, e deixar rastros de violência a pretexto de combatê-la.

16-7-2008

MORTE DE PRESIDENTES

Começou a temporada de caça ao afro-americano Barack Obama. Já pegaram três nazistas malucos que queriam acertar o candidato negro com rifles de precisão. Matar presidentes é uma tradição americana desde Lincoln, que foi assassinado no Teatro Ford, em Washington, em 1865, por um ator chamado John Wilkes Booth, com um tiro na nuca. Booth era do sul, contra os negros, e se vingou da derrota na Guerra de Secessão matando Lincoln dentro do teatro.

Outro presidente morto foi James Garfield, em 1881, na estação de trem de Washington. Depois, mataram o presidente William McKinley, em 1890, assassinado por um anarquista, que depois foi eletrocutado e teve seus restos dissolvidos em ácido.

Antes de morrer, disse que estava feliz por ter matado um governante.

Em 1963, John Kennedy. Seu suposto assassino, Lee Oswald, foi morto dois dias depois, na hora em que ia depor na frente das tevês do mundo inteiro, por um sujeito chamado Jack Ruby, ligado à Máfia – assim, destruiu provas que pudessem mostrar a conspiração de que talvez Oswald fizesse parte.

O assassinato de Bob Kennedy, em 1968, candidato à presidência da República e que certamente seria eleito, foi o mais trágico do ponto de vista histórico, porque sua morte inaugurou o período sórdido dos anos 1970, em que a direita passou a comandar o poder no mundo inteiro.

Obama, por todos os padrões da caretice americana, todos os traumas, todas as loucuras fundamentalistas daquele país, é um homem que não cabe no perfil da alma republicana. O velho reacionário, inútil, autoritário, seguidor disfarçado do Bush, McCain, já está usando todas as táticas de guerra suja que deve ter aprendido no Vietnã, onde ficou preso por cinco anos. Essa é sua única bandeira, sua única medalha, seu único trunfo. O velho herói torturado, segundo ele, depois de despejar milhares de bombas em Hanói e matar aquela população desprotegida de frágeis camponeses. Ele e sua gangue já estão berrando que Obama não é americano, que é de elite, que não ama a América. Só não têm coragem de dizer que acham que Obama é um negro que deseja acabar com a trágica era inaugurada pela dinastia da fraude Bush.

Obama tinha que andar dentro de um papamóvel, dentro de um obamamóvel, de vidro blindado, porque os republicanos matam e não desistirão nunca. O mundo é ruim demais para aceitar uma mudança tão progressista, um homem tão limpo como Obama. É uma pena. Será que o século XXI, que pensávamos que seria novo e moderno, vai continuar andando para trás como até agora?

27-8-2008

CARTA DE BIN LADEN

Ontem foi 11 de setembro, a data magna da decadência do Ocidente. Houve cerimônias fúnebres em Nova York, e Osama bin Laden deve ter comemorado o dia nas cavernas onde mora, entre o Afeganistão e o Paquistão. Deve ter dito a seguinte mensagem a seus fiéis:

"Meus queridos irmãos, aqui reunidos nesta caverna. Podemos comemorar em paz em nome de Alá, Aquele que nos deu a felicidade de travar essa guerra contra os cães infiéis do mundo. Tenho certeza absoluta de que estamos no caminho certo, pois Alá me deu a luz daquela grande ideia de sete anos atrás. Lancei os aviões americanos contra a própria América e, depois, comandei o Bush para destruir o Ocidente.

O Bush fez tudo o que eu queria, porque ele me obedece sempre. Com a ajuda de Alá, ele seguiu direitinho meu *script* e minhas ordens. Obcecado por se vingar de mim, ele estava, na verdade, hipnotizado por meus desejos. Bush é meu escravo, meu homem bomba. Ele atacou o Iraque e lançou o caos no mundo todo, abrindo as portas do inferno na Ásia e, depois, na Europa.

Irmãos, com a ajuda de Alá, consegui lançar a nação mais poderosa do mundo, com quase 1 trilhão de dólares em gastos de guerra, contra o nada. Eles atacaram o vazio, porque não existimos como soldados tradicionais. Sumimos no deserto e aparecemos somente para morrer felizes em nome de Deus.

Bush trouxe o caos para o mundo e, agora, se Alá nos ajudar, vamos eleger aquele velho maluco doente para suceder nosso escravo Bush. Bush desorganizou todas as conquistas iluministas do Ocidente do século XVIII para cá: a razão, a tolerância, a democracia. Bush apagou os últimos vestígios dos princípios democráticos que orientaram os fundadores da América. Bush entregou o país à indústria da guerra e do petróleo, que nunca faturou tanto como agora. Quebrou a América exatamente como eu queria, irmãos.

Em 11 de setembro, dei à América o pretexto para se sentirem vítimas. No fundo, acho que Bush me ama pelo avesso, porque dei uma agenda política a ele. O que seria de Bush sem as torres caindo sob nossos aviões? Agora, vamos esperar que elejam aquele imbecil e aquela mulher que se comparou a uma cachorra, a uma pitbull de batom. Eles podem ajudar a destruir o mundo infiel.

Toda crise vai acontecer aqui perto, entre o Paquistão com suas bombas atômicas e os cães infiéis de Israel. Mas não temam, irmãos. Não vamos sofrer nem nada perder, porque, no martírio nuclear que virá, iremos todos para o paraíso em meio a nuvens de fogo ao encontro de Alá, único Deus, sendo Maomé, e agora eu, seu profeta.

Viva o 11 de setembro, irmãos, a data magna da Al Qaeda e dos milhares de homens bomba que, não eu, o Bush criou. Só Alá é grande. *Allah Al Akbar!*".

FIM
DA BOÇALIDADE

O debate entre Obama e McCain foi um *trailer* dos indícios que podem definir a eleição americana para além das ideias e dos conceitos dos candidatos. Na substância, Obama saiu-se melhor, mas frases e opiniões na América têm menos valor do que a forma, a aparência, os gestos, o tom de voz, a cor da pele, os tremores do rosto.

Uma frase superficial dita com vigor pode pesar mais do que uma reflexão profunda emitida com insegurança. Em 1960, Nixon apareceu no debate barbado e com olheiras, enquanto seu adversário, Kennedy, lindo e limpo, ganhou.

George Bush, pai, olhou o relógio várias vezes, dando a impressão à plateia que tinha vontade de fugir da raia –, Clinton venceu. Al Gore teve votos roubados na Flórida pela gangue do Bush, mas parte de sua derrota foram os suspiros e os gestos excessivos nos debates, e também seu medo de defender o Clinton pelo trágico sexo oral com a Monica Lewinsky.

O grande *crash* econômico da América, que apenas começou, favorece Obama, que propõe o novo, ou não? Será que a crise não vai ser uma indigestão de novidades, levando o americano médio a desejar o sossego do já conhecido, como o velho republicano McCain?

É difícil para Obama dizer o que realmente pensa. Como pode criticar o conservadorismo conservadoramente? Obama não pode ser muito inteligente, porque o idiota médio americano não gosta: "Ah, ele é da elite de Harvard, ele quer nos humilhar". Obama não pode propor mudanças concretas radicais, porque, se bobear, vira um crioulo pernóstico, uma pantera negra, um muçulmano.

Muitos de seus assessores querem que ele tenha mais agressividade, mais musculatura. Mas como atacar o McCain diretamente se o inimigo principal é o Bush? Como atacar McCain se ele também critica o Bush, apresentando-se como um republicano *light*? Obama, como negro, não pode nem criticar o racismo endêmico da América. No entanto, o racismo sutil resiste na alma americana, mesmo no norte. É uma desconfiança com a diferença, é um racismo sem cor, é um amor à obediência e ao sistema conformista.

Obama poderá ser uma mudança no clima do Ocidente. Poderá ser o fim de um período de boçalidade unipolar. Poderá ser o anunciador de um novo tempo, embora saibamos que mesmo a vitória será uma decepção pelo tamanho da crise que explodiu depois de oito anos de uma anomalia política que mudou o Ocidente. É espantoso o mal que Bush nos fez. É espantoso o mal que a burrice pode fazer à América e ao mundo.

30-9-2008

O CENTRO
DO PERIGO

O governo Bush foi o pior da história americana e deixa um rastro de erros e horrores. Esse governo sempre errou o alvo de seus ataques. Quando houve a derrubada das Torres Gêmeas, em 2001, foi atrás dos talibãs, quando devia ter ido atrás do Osama, ali na fronteira com o Paquistão. Mas o Afeganistão ainda dava para encarar.

Depois invadiu o Iraque, na mais absurda estupidez, dizendo que Sadam Hussein escondia armas de destruição em massa e que o país era o santuário da Al Qaeda. Mentira. Os americanos foram atrás do domínio do petróleo e acabaram com o ditador, que era um criminoso, sem dúvida, mas, estranhamente, a maior resistência à Al Qaeda que havia no Oriente Médio. Como disse alguém: "Seria a mesma coisa que, na época em que o Japão atacou Pearl Harbor, os Estados Unidos, por vingança, tivessem invadido o México". Na história da estupidez humana, vale tudo.

Já disse que o centro do perigo mundial do Oriente Médio está no Paquistão. Claro que o idiota mor, o Bush, ficou seis anos refém do Musharraf, o ex-ditador, que levou bilhões de dólares dos Estados Unidos para combater os Osamas e os talibãs e engoliu a metade da grana para nada, fingindo trabalhar. Porque grande parte da população do Paquistão é islamita fundamentalista, e ele tinha medo de desagradar.

O Paquistão é o principal inimigo, já que tem bombas atômicas e mísseis que podem alcançar tanto a Índia como Israel. Porque tem mais de 20 mil escolas de formação de suicidas e fanáticos, as *madrasas*. Depois, porque o Osama está por ali. Qualquer profeta bobo sabe disso. E o maior problema está na miséria, com inflação alta e com o povo insatisfeito – daí o paradoxo.

Quando os americanos intervierem no governo do atual presidente, Ali Zardari, mais apoio o povo do país dará aos terroristas. E mais ódio terá do governo do viúvo de Benazir Bhutto, que foi assassinada com dois tiros na rua. Parece que, agora, vão prestar mais atenção no Paquistão. Se os generais americanos ao menos ouvissem o que tenho a dizer, já teríamos prendido o Osama.

21-10-2008

AMOR

E SEXO

Busco a política nos comportamentos e busco comportamento na política. Sexo na política e política no sexo. Por exemplo: quanto de perversão sexual será responsável pelo assalto, pelo assédio moral à República? Quanto desejo de poder e de manipulação se esconde sob o amor? Ou o sexo?

Este capítulo é inspirado na hipersexualização da vida contemporânea, que, por falta de outros projetos, virou o esporte favorito dos privilegiados, uma espécie de *videogame* do corpo e de *gameboy* da alma.

CHOQUES DE PRAZER

Os americanos inventaram uma máquina de produzir orgasmos nas mulheres que têm dificuldades sexuais com seus maridos e seus ricardões. Um médico tratava a coluna de uma senhora e, ao tocar um ponto, ela começou a gemer de prazer. A paciente disse: "O senhor tinha que ensinar isso para meu marido". O médico desenvolveu um aparelho com eletrodos, que é implantado no corpo feminino com a intenção de mostrar às mulheres a luz do sexo. É uma espécie de controle remoto do amor. A vantagem é que não há a necessidade nem mesmo de parceiro. Bom para as mulheres que não têm mais paciência para as infernais relações de amor. Esse aparelho produz uma espécie de sexo virtual, com choques elétricos que provocam orgasmos em cadeia.

Há sessenta anos, Wilheim Reich, psicanalista alemão, comunista e sexólogo, dizia que as pessoas não gozavam porque a repressão burguesa não permitia. Esse homem inventou uma caixa preta, dentro da qual o sujeito tinha orgasmos por meio de uma energia que ele chamou de orgônio. É claro que o velho Reich era maluco, tinha mania de misturar orgasmo com revolução.

Essa história de orgasmo liberatório é importante na vida moderna, principalmente, em que se fala muito de sexo nas revistas, na tevê, no rádio. Mas muitos problemas sexuais são jogados embaixo do tapete ou embaixo da cama. Há uma ostentação de prazer ou de desempenho em revistas de celebridades que não deve ser real. Os traumas infantis, o medo do outro, os preconceitos e as dificuldades profissionais são muito comuns na vida moderna. O excesso de sexo ostensivo está em relação direta com as dificuldades ocultas. Broxa-se muito mais do que se diz, apesar dos sorrisos nas revistas.

O sexo é muito mais complicado do que parece. Se continuar assim, daqui a alguns anos muita gente terá adotado o implante de eletrodos, porque ser feliz sexualmente com Bush no poder, e homens bomba explodindo, está cada vez mais difícil. Sem crescimento econômico, então, nada cresce. Com desemprego subindo, tudo desce.

1-12-2003

MULHERES-OBJETO

As mulheres do mundo todo merecem um brinde pelo muito que têm sofrido nas mãos do preconceito, da repressão dos Estados primitivos e dos machos grosseiros. O feminismo tem grande importância para além da defesa dos direitos das mulheres. A libertação delas e a consciência de seus direitos ajudaram a aprofundar a ideia de democracia e de justiça no mundo todo. A civilização ocidental foi montada sobre o conceito de exclusão das mulheres. No Oriente, elas estão dentro de burcas ou nos haréns, são apedrejadas até a morte caso cometam infidelidade ou são consideradas culpadas se forem vítimas de estupro, como no Iraque e no Irã.

A mística feminina ajudou a tornar o mundo um pouco mais delicado, porque a ótica masculina leva à brutalidade, à fome de poder e à guerra. Vi um documentário, outro dia, que continha uma entrevista, dos anos 1960, com Jacqueline Kennedy. Mesmo uma mulher poderosa e forte como Jackie falava com uma voz de menina, empostadinha, de propósito: "*My husband and I in the White House*". Falava feito boba, porque era moda mostrar que era fraquinha.

No Brasil, houve grande avanço nos direitos das mulheres, apesar de tudo ser muito subdesenvolvido ainda, muito machucado pela miséria e pela ignorância. As mulheres ainda ganham menos, apanham mais, sofrem mais, porque o Brasil é um país machista e cruel. Dizia-se antigamente: "Mulher deve falar três coisas apenas: xô galinha; para dentro menino; e acuda vizinha, que meu marido está me batendo".

No Brasil, a maior conquista das mulheres foi na área da liberdade sexual, que, muitas vezes, é usada irresponsavelmente. Muitas brasileiras pensam que ser livre é poder dançar na boca da garrafa, é namorar um homem por semana. Aqui, a sexualidade das mulheres ficou livre muito mais pela invenção dos anticoncepcionais do que por marchas e lutas. Isso é perigoso, porque, quando se envolvem corpo e sexo, muitas mulheres pensam que são donas do próprio desejo, mas acabam se transformando em escravas do desejo dos homens. Pensam que são sujeitos, mas se tornam mulheres-objeto – não passam da realização de fantasias masculinas.

9-3-2004

REPRIMIDOS E REACIONÁRIOS

A vitória de Bush foi uma surpresa pelas causas que o elegeram. Pensávamos que as multidões iam votar nos democratas. Mas não, elegeram Bush. Sabe por quê? Sexo. Sexo e religião careta e fanática. Eu estava nos Estados Unidos quando o Clinton transou com a Monica Lewinsky. Foi a campanha mais violenta que presenciei na vida contra um homem. O promotor que o acusava, Kenneth Star, talvez fosse uma bicha enrustida apaixonada por Clinton, mas o atacou como um homem bomba. Já dava para sentir que havia uma espécie de golpe de direita em andamento. E o fato de Clinton ser bonito e gostar de mulher era considerado pela população um pecado mortal. Outro crime era Clinton ser da geração dos anos 1960.

Os republicanos, essa raça de fascistas, não deixaram Clinton governar em paz durante quatro anos. Fizeram todas as campanhas contra ele, o acusaram de tudo – ele passou quatro anos tendo que se defender e, mesmo assim, fez um grande governo: deixou o país com superávit, com empregos, e foi amado pelo mundo inteiro. Agora, tudo isso está transformado nesse lixo histórico. Elegeram Bush porque ele é contra a legalização do aborto, contra o casamento de gays, contra o homossexualismo. Sexo, puro sexo.

Como uma superpotência, com 500 bilhões de dólares de orçamento militar, pode ser tão reacionária, tão careta e reprimida? A ala livre, democrática e maravilhosa da América virou pó. Os democratas vão morrer sem nenhuma possibilidade política, porque a Câmara e o Senado estão dominados pelos republicanos.

O mundo será atacado pelos viados enrustidos, pelos gordos boçais do interior dos Estados Unidos, pelas louras bundudas dos ranchos do Texas, pelos ex-alcoólatras como Bush. Tudo em nome de Deus. Não do Deus que dizia "amai-vos uns aos outros", mas um deus que eles inventaram e que diz "odeiem todos os que não sejam iguais a vocês".

O mundo vai piorar. A democracia será deformada e, em seu lugar, teremos o retrocesso da cultura e da razão. Pelo menos agora vemos a verdadeira face da América: ela é republicana.

11-5-2004

PRAZER OU DÓLARES

Os americanos estão medindo nosso grau de felicidade. Concluíram, depois de feitas pesquisas, que dinheiro não traz automaticamente felicidade, embora, claro, ajude um pouco. A dificuldade da conclusão do estudo é que não se sabe ao certo o que é felicidade. Mas levantou-se a hipótese de que um sujeito pode ser riquíssimo e infeliz – bem menos infeliz, é verdade, que os "durango kids" encontrados pelo mundo e por aqui no Brasil.

A única resposta definitiva da pesquisa é que quanto mais sexo a pessoa fizer, mais feliz será. Será? Foi comparado o ritmo de atividade sexual com outras referências de felicidade – estas compradas com dinheiro, como carros e viagens. Concluíram que, se um sujeito tiver uma vida sexual intensa, será mais feliz. Assim, se uma pessoa aumentar sua atividade sexual de uma vez por mês para uma vez por semana, esse "acréscimo" produzirá tanta felicidade quanto depositar 50 mil dólares no banco.

Esse resultado implica dúvidas: o sujeito transa pouco porque não tem dinheiro ou não tem dinheiro porque transa pouco? Não transa quase nada porque trabalha muito para ganhar dinheiro e não tem tempo para o sexo ou porque trabalha demais, não ganha nada e morre de cansaço? Geralmente, dureza dá moleza, sofrimento faz broxar. Se derem 50 mil dólares para um roedor de rapadura, sentado no meio-fio, provavelmente seu desejo sexual vai aumentar. O contrário não é real: se o sujeito transar a todo o momento, não ganhará os 50 mil e ainda poderá ficar mais pobre por perder o emprego.

Na América, talvez esse tipo de pesquisa dê certo. Aqui, grande parte dos homens vive frustrada por não ter grana para bancar os favores das supergostosas que veem o tempo todo em revistas e cartazes de rua. E você, o que preferiria: ganhar 50 mil dólares ou transar toda semana? Arrisco um palpite: acho que ganharia a turma do dinheiro. Não esqueçamos a frase de Nelson Rodrigues: "Dinheiro compra tudo, até amor verdadeiro". Bom mesmo é grana no bolso, saúde e amor. O resto, a gente resolve.

13-7-2004

INFIDELIDADE
VIRTUAL

Juristas estão discutindo se sexo virtual é igual a sexo real. Há dúvidas também se a infidelidade conjugal praticada pela internet justificaria a separação de casais. Romance pela *web* é infidelidade ou não? Acho que flagrante de adultério é sempre um horror. O maior da história foi o de Clinton, um macroflagrante, a que toda a humanidade assistiu. Mas há também o microflagrante daquele sujeito que está na internet e a mulher chega:

– Por que você está beijando a tela do computador?

– Adoro meu PC, só ele me entende.

– Sai da frente, deixa eu clicar. Quem é esta mulher, hein? katiaregina@love.com?

– Não é nada disso que você está pensando, querida.

Em um mundo cada vez mais individualista, e mais solitário, o amor ideal talvez seja o virtual. Com vantagens: você pode desligar o computador quando a barra pesar, pode discutir a relação sem levar o cinzeiro na testa, pode ser "baranga" e se redesenhar no Photoshop.

Já existem mecanismos de sexo à distância. A mulher está, digamos, na Flórida, e o homem, em Nova York. Ela tem um cibervibrador, e ele, uma vagina inflável de silicone. Ao vivo, os corpos se exibem nas telas até chegarem ao clímax, ou melhor, à conexão perfeita. Isso já existe nos Estados Unidos. É a chamada "masturbação por controle remoto". Tudo termina em *logoff* feliz.

Único conselho: não transforme amor virtual em real, porque dois amores internautas que depois vão tomar um chopinho no boteco, e ficar olho no olho, é decepção na certa.

11-8-2004

QUANTO MENOS VEZES...

Sexo é uma das poucas alegrias que sobraram para nosso povo. Uma pesquisa feita com brasileiros mostrou que os homens não estão satisfeitos com a frequência de suas transas. Achei o resultado até razoável – a grande maioria faz sexo duas vezes por semana, o que já é uma marca boa frente aos americanos do Norte, que vivem para o trabalho e transam uma vez por mês. E olhe lá. Será que o desemprego dá mais tempo aos nossos garanhões? Não sei. Uma grande parte reclama que está sem ereção completa. Outros dizem que não conseguem nada por causa da preocupação com a economia, outros ainda porque ficam tensos com a falta de dinheiro e têm medo de perder o emprego. Realmente, sempre que o desemprego cresce, o chamado pintinho cai. Mas, com os índices econômicos melhores, talvez assistamos a um espetáculo de crescimento, ou de endurecimento na população masculina.

A pesquisa aponta também que o excesso de sexualidade na mídia dá aos brasileiros a sensação de sempre estar aquém de atingir "aquela" boa marca. Os sujeitos veem milhares de bumbuns das celebridades em revistas e *outdoors*, chegam em casa e se vingam da mulher, coitada, que não tem nível de *Playboy*. As mulheres também assistem aos galãs sem camisa na tevê e não querem saber depois dos maridões.

A pesquisa foi feita com pessoas de classe média. O povão, dizem por aí, é mais *sexy*. Vinicius de Moraes falava que poeta gosta de amor, quem gosta de sexo é operário. Talvez tivesse razão. Quem está mal é a classe média. As elites políticas estão muito bem, obrigado, não apenas em suas noites de orgia mas também se ocupando de ferrar a todos nós.

9-9-2004

VÁLVULA DE ESCAPE DO DESEJO

O deputado Fernando Gabeira, verde defensor das causas esquecidas, criou um projeto de lei que tiraria do Código Penal Brasileiro todas as referências à prostituição. Mas parece que os caretas do Congresso não querem descriminalizar a prostituição. Desde 2002, o Ministério do Trabalho reconhece a prostituição como profissão informal, mas sem direitos trabalhistas. Apenas reconhece. Assim permanecendo no Código Penal, a prostituição continua a ser a chaga, o pecado que escandaliza as famílias. E as prostitutas brasileiras se organizam cada vez mais.

A RBP, Rede Brasileira de Prostitutas, é uma organização que luta para que sejam reconhecidas como cidadãs, pessoas comuns que trabalham para comer.

Em geral, elas têm sempre a mesma história de vida: lindas mulheres que nasceram na miséria e na falta de educação e têm que se virar para viver. Já existem 25 associações de prostitutas no país, que formam a rede brasileira. A declaração de uma das líderes é fantasticamente clara: "Não somos criminosas nem vendemos nossos corpos. Prestamos um serviço". É verdade.

A chamada "mais antiga das profissões" é uma espécie de válvula de escape para a sexualidade reprimida da sociedade, toda baseada no recalque do desejo. De certa forma, até hoje muitas famílias se mantêm unidas por causa da existência das prostitutas, que maridos infelizes frequentam, como no passado.

As prostitutas se unem a outros movimentos libertários, como os dos gays, das feministas, dos negros, dos atores populares e até de catadores de papel. A melhor maneira de ajudar as prostitutas não é ampará-las com caridade, assistência ou compaixão. É dar a elas direitos, a chance de serem cidadãs, porque nasceram da falta de horizonte de países como o nosso.

No Brasil, prostitutas de verdade estão sendo ameaçadas por prostitutas informais, disfarçadas, que não cobram direta e honestamente por seus serviços, mas que vivem de pilhar, de arrancar dinheiro de namorados e até de maridos. Conheço, no mínimo, cinquenta. E todas estão nas colunas sociais.

10-2-2005

O MOMENTO SECRETO

Na Dinamarca, um estudo inédito revelou o que acontece no cérebro das mulheres durante o orgasmo. Os cientistas ainda não conseguiram descobrir o que se passa na cabeça dos homens, talvez porque o sexo masculino só pense besteira nessa hora. Os estudiosos querem determinar a mecânica do orgasmo – desde o início, a transa propriamente dita, até a hora H, o momento do clímax. Por que os cientistas não deixam a natureza em paz?

Bons tempos aqueles em que não se falava de orgasmo. Orgasmo era um momento secreto, quase um pecado, um crime, principalmente para mulheres oprimidas. Orgasmo era, e ainda é, um contato precioso com a natureza, com nosso passado de bichos felizes. Era o clímax do amor.

Hoje, orgasmo tem algo de descarrego, de explosão de champanhe, de alívio. Se antes era difícil de atingir por causa da repressão sexual, hoje o orgasmo virou um desafio de qualidade, espécie de recorde esportivo, um gol. Se antes o sexo era reprimido e nos inibia, hoje o excesso de liberdade sexual amedronta.

Vivemos um problema ecológico com o orgasmo. Cada vez fica mais difícil a perda de controle. Como ter orgasmos livres entre crises econômicas, guerras, violências, inflação, falta de dinheiro, desespero? Talvez tenhamos uma crescente virtualização do orgasmo. Para gozarmos, teremos cartões digitais, ejaculações múltiplas e alongamento de gemidos, ou seja, aos poucos o amor será desnecessário. O próprio sexo será abolido e o orgasmo poderá terminar como um grito solitário, um lamento por nossa animalidade perdida.

21-6-2005

AS DUAS PORNOGRAFIAS

A Prefeitura de São Paulo fechou várias casas noturnas onde trabalham garotas de programa, porque essas boates colocaram nas ruas da cidade *outdoors* com imagens quase explícitas de sexo. A intenção era uma só: chamar a atenção da multidão de gringos que vem para a Fórmula 1. Nesse momento de tanta sem-vergonhice na política, foi até um ato moralizador, que veio em uma hora interessante, porque há uma rima entre pornografia sexual e pornografia política. Basta lembrar que Bush foi eleito nos Estados Unidos por causa das transas do Clinton com a Monica Lewinsky – que tinha aquela boca vermelha. O sexo oral que ela fez em Clinton elegeu Bush e mudou a história do Ocidente.

Aqui, na crise pornopolítica em que se vive, as pessoas ouvem: "Não, eu nego, eu não fiz, eu não sei de nada". E já que a nudez da verdade está coberta pelo manto sujo da mentira, já que não podemos ver o Zé Dirceu nu ou o Gushiken fazendo *striptease*, só nos resta esperar que aquelas boazudas da CPI posem nuas na *Playboy* ou na *Sexy*. Seria, pelo menos, uma verdade nua. Porque nunca vimos tanta prostituição ao vivo como nas CPIs.

Por isso, os donos de bordel devem ter pensado assim: "Se há troca-troca entre PT e PP, 'gigolotagem' dos partidos com o Executivo, assédio sexual dos políticos sobre o Supremo Tribunal Federal para conseguir favores jurídicos e fetichismo com cuecas cheias de dólares, nós também podemos anunciar sacanagens em *outdoors*". Já as meninas de programa estão chorando e dizendo: "Que injustiça! Afinal, somos honestas, não ganhamos mensalão. O 'michezão' é decente, ganhamos no trabalho duro. Os pilotos fariam conosco o mesmo que os políticos fazem com o povo brasileiro todos os dias".

22-9-2005

VIOLÊNCIA

A violência no Brasil poderia ser muito menor e mais controlada. Mas não é. Há quarenta anos, poderia ser revertida. Ganhou o egoísmo das classes dominantes, o desprezo dos humildes, a desatenção pelas periferias e pelas favelas. O que já foi vivido como uma idílica "doce vida nos morros", como cantavam os sambas idiotas do passado, virou medo e horror. A multinacional da cocaína e de outras drogas chegou aos pobres como único emprego oferecido. A miséria se armou, a ignorância e a fome geraram uma língua nova, em que não há palavras que falem sobre compaixão ou cidadania.

Somente no Rio há 650 favelas. Vai ser difícil reverter essa tragédia. Talvez tenhamos de conviver com ela para sempre.

NAÇÃO MISERÁVEL

Todo mundo já assistiu a reportagens na tevê em que policiais recebem gorjetas de traficantes dentro de favelas. Há alguém que ainda se espante com esse tipo de notícia? Parece tudo tão previsível. A vida desses traficantes e suas ligações com os homens de farda já entraram em rota de normalidade. É preciso que o Poder Judiciário pare de considerar o tráfico apenas como coisa de polícia. Porque a tese é esta: "O traficante é um homem que caiu em pecado, que transgrediu a lei e precisa ser punido por homens de bem". Essa é metade da verdade, porque as velhas verdades não bastam mais. Novos conceitos têm que surgir para dar conta de fatos novos.

O mundo do tráfico, do crime nas periferias, já é um novo país. Uma nova nação miserável em que o único comércio lucrativo é a cocaína. Esse país tem leis próprias, moral própria, associação entre pobres de farda e pobres do crime. A solução só poderá vir pelo reconhecimento dessa nova pátria miserável. Ou pela legalização das drogas, ou por uma guerra profunda, feita de armas, de fronteiras vigiadas e, mais importante do que tudo isso, do saneamento da miséria. Porque a verdade é que esse novo país está se transformando em realidade. E nós estamos virando ficção.

27-8-2002

NO CAMINHO DA COLÔMBIA

Está surgindo um outro país bem debaixo de nossas barbas. O país da cocaína e do crime organizado. Nas periferias já há novos valores, nova ética do assassinato, leis psicóticas em que a morte é decretada por qualquer motivo. Existe um exército que mistura policiais mal pagos e traficantes milionários. A tevê não se cansa de mostrar gravações em que um PM reclama, humildemente, da gorjeta que o traficante havia se esquecido de dar – cem reais, para dividir entre os colegas.

Esse novo país violento, criado pela cocaína e pelos canalhas ricos e contrabandistas que abastecem as favelas com armas modernas, ainda não está organizado como as Farc *[Forças Armadas Revolucionárias da Colômbia]*, que têm base ideológica. Mas, infelizmente, o tráfico e o crime já estão se infiltrando na política. A tentativa de impugnação da candidatura de Jorge Viana à reeleição ao governo do Acre *[o argumento era que Viana teria usado indevidamente o símbolo de seu governo, uma castanheira estilizada, na publicidade]* mostra o poder dos homens da fronteira do crime. Até pouco tempo atrás, os criminosos matavam e roubavam e, em vez de fugir para o mato, fugiam para o Senado ou para a Câmara. Lá ficavam felizes, ao abrigo da lei, com a imunidade parlamentar servindo de esconderijo. Depois que a imunidade contra crimes comuns caiu, o Congresso ainda abriga canalhas, mas não tão óbvios como torturadores e assassinos.

Mas o crime está evoluindo novamente. Não é possível que a decisão judicial *[de impugnar a candidatura de Jorge Viana]* seja uma ordem do tráfico. Se os assassinos começarem a mandar também na política, estaremos no caminho da Colômbia. E a moda vai contaminar o país todo. Vai chegar ao Rio e a São Paulo. Se for para ser assim, talvez seja melhor transformar logo o Comando Vermelho em partido. Em São Paulo, os novos ladrões poderiam se candidatar. No Rio, o Elias Maluco *[o traficante Elias Pereira da Silva, acusado de ter matado o jornalista Tim Lopes]* poderia até ser eleito prefeito da cidade pelo novo partido: o PCC – Partido da Cocaína Carioca.

29-8-2002

SEM COMANDO

Você sabia que já morreram mais pessoas na guerra do tráfico no Rio de Janeiro do que na guerra entre Israel e Palestina? Por que o poder público não é capaz de bloquear celulares na prisão? Bastaria instalar telas de arame iguais às que se colocam em galinheiros. Por que não se consegue controlar um preso que está dentro da prisão? Fernandinho Beira-Mar comanda chacinas, embora esteja dentro de Bangu I *[presídio carioca em que ele organizou uma rebelião com o intuito de matar líderes de facções rivais]*. Por que não seguram o Fernandinho? Por que ele tem cerca de 40 milhões de dólares, como dizem? E ainda não estamos na Colômbia, não.

Todo mundo sabe o que fazer, polícia, justiça, governos. Não fazem por quê? Porque nenhum político quer se aborrecer. Trabalhar dá muito trabalho. A rede de burocracia, tanto no Estado do Rio como no governo federal, impede ações emergenciais – e muita gente gosta, pois, dessa forma, não precisa explicar sua incompetência. Por que ainda não calaram o Fernandinho? Porque ninguém quer matar a galinha dos ovos de ouro.

Governar no Brasil, hoje, é reformar a polícia. Bastaria isso, o restante poderia esperar. Todo mundo fala sempre no 11 de setembro, mas o nosso 11 de setembro é feito de lama e de vergonha. Nossas torres de comando já caíram faz tempo.

12-9-2002

A CONVIVÊNCIA COM TERRORISTAS FANÁTICOS

O terrorismo pode atacar de novo. Uma discoteca explodiu em Bali, na Indonésia, e duzentos jovens, que dançavam felizes, morreram despedaçados. Foi tão brutal que pensei, com ódio, por um segundo: "Por que não jogamos logo uma bomba atômica em Meca *[cidade sagrada dos muçulmanos]* e torramos aqueles milhões de árabes sujos?". Pensei mesmo. Assim começa a avalanche do irracionalismo. A loucura dos fanáticos provoca a loucura em nós. O ódio traz mais ódio.

O 11 de setembro foi um ataque ao mercado e ao trabalho. A discoteca em Bali foi um ataque a tudo o que amamos: a alegria, o sexo, a música, a liberdade. Para os terroristas, somos cães infiéis a destruir – não há negócio, não tem conversa, nem diplomacia.

O mundo se vê diante do insolúvel. Um problema pressupõe uma solução, mas não há mais solução. O problema somos nós, os demônios que impedem a vitória de Alá. Somos nós os demônios... E não só o terrorismo não tem solução. Não há solução para o Iraque, não há solução para a Índia e o Paquistão, não há solução para o tráfico no Rio. Não há solução para a Colômbia nem para São Paulo.

A ideia de solução é ocidental, vem do século XVIII. Para o islã, não há problema, tudo estava escrito – *maktub*. Os americanos que viviam em função de achar uma saída para todas as coisas estão desesperados, porque terão que viver sem ela. Isso é o inferno dos obsessivos e maníacos que querem limpar o mundo. E o mundo foi sempre uma porcaria. Mas, agora, parece que todos os tumores estão vindo à tona, todos os conflitos estão explodindo. Teremos que nos tornar mais orientais, mais fatalistas. Teremos que ser mais conformados com os erros do mundo e com o fato de que não poderemos fazer quase nada. Acaba a ideia de que um dia chegaremos lá... Lá aonde? A uma sociedade boa, justa, pacífica. Jamais chegaremos lá. A globalização conseguiu globalizar apenas o terrorismo, emprestando tecnologia ao mundo da miséria e do fanatismo. Nós mandamos o McDonald's. Eles nos mandam homens bomba.

21-10-2002

SATISFAÇÃO A QUALQUER PREÇO

Foi publicada em um jornal popular, muitos anos atrás, a seguinte manchete, que ficou famosa: "Matou a mãe sem motivo justo". O que chocou nessa notícia é que parecia haver um motivo justo para matar a mãe. O nosso país está virando uma espécie de carnaval dos psicopatas. Suzane von Richthofen matou os pais, Gustavo de Macedo Pereira Napolitano, estudante de direito, matou a avó a facadas. Parece que os assassinos encontram motivos para matar os parentes. Não há motivos, claro, mas uma espécie de estímulo no ar para esses crimes.

A sociedade de consumo atual parece que nos ordena a satisfação, o tempo todo, a qualquer preço: "Coma! Beba! Vista! Ame! Transe!". Mas é impossível realizar tantos desejos, e o consumo se torna uma espécie de droga. Somente muito "doidões", cheios de cocaína, como esse Gustavo, podemos dar conta desse desejo infinito a ser realizado.

O excesso de ofertas nos deixa sempre insatisfeitos, e tudo o que frustrar nosso desejo tem que morrer. Some-se a isso o espetáculo banal da violência e temos o tal motivo justo. É quase um *slogan*, quase uma propaganda: "Mate quem impedir seu desejo".

Um amigo me contou que só consegue dormir de porta trancada. Disse ele: "Sei lá o que meus netos estão aprontando lá fora".

26-11-2002

SISTEMA COVARDE

Qual a diferença entre um traficante e uma autoridade pública? O traficante age para ganhar dinheiro, e muito; a autoridade, para cumprir uma missão, seu emprego, afinal. O traficante não precisa fazer memorandos ou bater ponto; o burocrata vive amarrado embaixo de salários, com preguiça ou pouca vontade política. O traficante tem dinheiro, a polícia não tem. O traficante tem boas armas, a polícia, não. O traficante é livre como um terrorista, não tem hora certa, ataca quando quer, ninguém conhece seu rosto, que pode estar atrás de um capacete de motocicleta. Os juízes corajosos têm endereço, os criminosos, não. Os burocratas ou as autoridades aparecem com suas caras perplexas falando em providências enérgicas na televisão. O traficante está tomando providências enérgicas há muito tempo.

O burocrata ou o político defende a dignidade de sua função, o traficante não tem dignidade a defender. O traficante não é dividido – tem, no máximo, facções que se digladiam, mas é organizado. As autoridades policiais são divididas em municipais, estaduais e federais, que disputam entre si, que se odeiam e se sabotam. O traficante, não. As autoridades vivem do discurso – a cada crime, correm para a tevê e se mostram indignadas. O traficante não fica indignado, não diz nada, mata apenas. As autoridades falam como se o problema fosse policial ou dependesse de medidas duras. O traficante sabe que o problema não é apenas policial – é político, é social, é militar –, mas não diz nada porque não vai dar luz a cego. As autoridades fingem não saber que a solução para a violência não existe, ao menos com essas medidas enérgicas ou forças-tarefa. Fingem não saber que o crime é o principal problema nacional.

Não adianta o Lula ficar indignado. Tem que mapear os 650 morros do Rio, a periferia de São Paulo, e traçar uma estratégia profunda, ao custo de bilhões de reais. Mas o governo não consegue nem apresentar o projeto de reforma ao Congresso. Reúnem-se, reúnem-se, reúnem-se e nunca decidem nada. Imagine, então, a guerra contra o tráfico. O traficante vive perigosamente, mas ninguém o corrompe, a polícia vive mal e é corruptível. O traficante sabe que não há solução. O traficante é competente, as autoridades, não.

Se o governo Lula não sentar com os generais mais competentes do país, do Estado Maior, se não houver um estudo sério, de policiais e técnicos, que envolva muita grana, tudo vai continuar como está: lero-lero na tevê. Também era preciso descriminalizar o tráfico de pó e maconha. Todos sabem que a solução passa por aí. Mas quem tem coragem de falar? Esse sistema é careta e covarde.

26-3-2003

GUERRILHAS
URBANAS JUVENIS

O que mais impressiona na guerra do tráfico no Rio de Janeiro é a incapacidade de os poderes públicos tomarem uma providência qualquer. A polícia carioca, com suas bandas podres e bandas não podres, de alguma forma está fazendo seu trabalho, o de sempre – reage quando é atacada, sobe e desce morros, prende uns "traficas", perde outros. O trabalho burocrático, de rotina, está rolando.

O que nos mata de vergonha é a indefinição de responsabilidades. Não se consegue encontrar uma prisão para colocar o Fernandinho *[Beira-Mar, traficante que sempre é transferido de penitenciária]*. Os Estados têm medo, os governadores fogem, pálidos de espanto. O governo federal bate na mesa e nada rola, a não ser promessas de que estão sendo feitos planos, estão sendo tomadas providências. Mas que planos? Será possível que o governo federal não é capaz de construir uma prisão de segurança para "encanar" pessoas?

Será que nunca veremos a beleza de medidas de emergência dando certo, não teremos esse prazer nunca? O máximo que temos ouvido são manifestações sádicas, dizendo que as regras do encarceramento serão muito rígidas. A vida dos traficantes presos vai ser um inferno. Não terão direito a banho de sol, poderão ficar o ano todo no isolamento. Isso é ridículo e nojento. Isso é contra os direitos humanos mínimos. Nenhum preso tem que ser maltratado. O que as autoridades têm que fazer é impedir contatos com o mundo externo. Impedir fugas. Mais nada. Ah, sim, e impedir a corrupção de agentes penitenciários, já que a corrupção de políticos e magistrados ninguém consegue coibir.

As ações que estão rolando – ônibus em chamas, bombas – são organizadas por um bando de garotos sem chefia. Ações que prejudicam o próprio tráfico, atraindo o ódio da população contra os traficantes. E o poder público trata esses moleques loucos como se fossem as Farc, o exército islâmico, uns bins ladens.

Políticos e jornais estão transformando esses marginais em *megastars*. Essas violências são manifestações horrendas, perigosas, claro. Mas são atos de loucos que devem ser coibidos com manifestações racionais, orgânicas. Estruturas de repressão com assistência social, estratégias de alto nível, de Estado-Maior, misturadas com ação policial. Não sou eu que vou dizer como isso será feito. Mas fica sempre a pergunta: quem entende de guerra? Os generais. Nós não temos generais. Eles foram tão eficientes para acabar com as guerrilhas urbanas nos anos 1970. E isso não é guerrilha urbana? Sujas, burras, juvenis, mas guerrilhas urbanas, sim. Então, nada será feito?

4-4-2003

AUTOCRÍTICA
DA INEFICIÊNCIA

Enquanto procurarmos uma solução para o crime no Rio, não haverá solução. Não haverá solução enquanto não entendermos que somos parte do problema. Nós, a polícia, a burocracia, a lei, as Forças Armadas. Solução é um conceito antigo. Apenas um processo amplo, lento e caro poderá melhorar a coisa toda, porque são 650 favelas com mais de 30 mil armas pesadas, calcula-se. Algum sucesso, algum avanço, virá se desistirmos de defender a "normalidade" de nosso sistema, porque não há normalidade nenhuma.

Precisamos, urgentemente, fazer autocrítica de nossa ineficiência. Temos de nos reformar, de subverter nossas cabeças. A defesa pública está engarrafada em uma rede de burocracia corrupta, leis antigas que são facilmente superadas pela eficiência leve e imaginosa dos bandidos. Não adianta mais dizer: "Que horror". Todas as causas da violência sempre estiveram aí, como uma mina enterrada. Mas, agora, ficou visível.

Os criminosos não têm rosto e ninguém sabe de onde eles vêm. São microempresas privadas, e nós somos um Estado incapaz. Eles são rápidos e criativos, nós somos lentos e burocráticos. Eles lutam em terreno próprio, nós, em terra estranha. Eles não temem a morte, nós morremos de medo. Nós os transformamos em *superstars* do crime, eles nos transformam em palhaços. E não adianta nomear garotinhos, molequinhos, homens de ouro, forças-tarefa – não há macho que resolva isso.

A luta contra o crime não é mais uma luta policial. Não é mais a lei contra o pecado. O crime cresceu tanto que se tornou um problema de Estado-Maior. Sim, trata-se de uma luta política, policial, militar. Sou um pobre cidadão horrorizado, mas acho que precisa haver uma articulação séria das Forças Armadas com a polícia. E não quero dizer que soldados tenham que subir morros como policiais, não. Mas que coronéis e generais tracem estratégias, conjugando repressão, comunicação e conscientização, junto com sociólogos e urbanistas, como se fosse uma conferência científica de cúpula. Temos que entrar em favelas não para atacar e matar, mas para integrar. O programa Favela-Bairro foi das poucas coisas decentes planejadas até hoje e deveria haver algo assim. Será que o Rio vai conseguir se modificar? Espero que sim, senão poderá virar uma Palestina suja, com terrorismo sem causa e sem religião de um lado, e impotentes grupos de sharons *[alusão a Ariel Sharon, ex-primeiro-ministro de Israel]* de outro.

12-5-2003

DIFERENÇAS MAIS ESTÉTICAS DO QUE IDEOLÓGICAS

Há a ilusão de que em São Paulo existem menos crimes do que no Rio. O financiamento do crime é o mesmo, o que muda é a aplicação de recursos. O financiamento é a droga, a cocaína, o fumo. No Rio, a violência é mais espetacular: os ônibus são queimados, os arrastões parecem escolas de samba do mal. Enquanto em São Paulo não há a cultura da malandragem, a origem clara dos morros e das facções.

Em São Paulo, o crime é mais desorganizado, apesar do progresso da cidade. No Rio, a polícia sabe um pouco mais, apesar de ser mais corrupta. Em São Paulo, a violência é mais bruta, mais imprevisível, sai do grande cinturão de miséria que envolve a cidade. Em São Paulo, vem do nada... Loucos saem da toca e atacam sem motivo, sem *shows*. Por isso a polícia fica sem mapa, desorientada.

Fala-se muito do Rio, mas São Paulo tem 650 roubos violentos por dia e teve, em 2002, 308 mil casos de roubo, enquanto o Rio teve 114 mil. E muito do pó que chega ao Rio sai de São Paulo. São duas cidades, mas o crime é um só, que pode vir a se comunicar, a formar um elo mais difícil de destruir do que agora. Por isso digo que Rio e São Paulo são preocupantes. Digo que "alguma coisa acontece no meu coração/ que só quando cruza a Ipiranga e a avenida São João", é o medo, é o medo *[Citação de "Sampa", de Caetano Veloso]*.

24-6-2003

ESTRANHO
BICHO

O grande problema do ataque à violência no Brasil é que, muitas vezes, a violência é vista como desvio de conduta normal. Explico: reduzir ou não a maioridade penal parte do pressuposto de que o criminoso escolhe ser criminoso. Parte da ideia de que ele esteja dividido entre o bem e o mal. Não há essa divisão. O sujeito que mata não está preocupado com punição, recompensa. Vive em outro mundo, muito diferente do nosso mundo jurídico, com leis e regras de uma classe social que defende a normalidade, a harmonia sonhada historicamente.

Essas pessoas nunca são consideradas cidadãs, a não ser no momento em que se abre um processo jurídico contra elas. Nesse instante, aquele estranho bicho, criado na lama, na ignorância, na boçalidade, sem conhecer o que é compaixão ou o que é o outro, vira um cidadão réu. Seja com dezoito, 21 ou dezesseis anos, esse homem nunca foi olhado pelo Estado.

Não estou dizendo aqui a frase óbvia que "são as condições sociais e a miséria que formam o criminoso". O que quero dizer é que o crime das periferias do Brasil é uma mutação social e psicológica. É quase outra espécie de animal que surgiu da lama. É uma nova formação moral, que não tem nada a ver com nossos burgueses divididos ou classes médias neuróticas. A patologia é total. Assim, leis, punições, análises e projetos, em sua maioria, estão dessincronizados com o mundo real dos criminosos.

É feito o Iraque: nada vai deter aquela violência – apenas outra atitude dos americanos, ou da ONU, ou sei lá de quem poderia mudar alguma coisa. Aqui, enquanto tratarem a violência como pecado ou crime a ser punido, nada adiantará. Só uma grande ofensiva nova, feita com muito dinheiro, muita assistência social, muito combate à entrada de armas e de cocaína, quase uma diplomacia do Estado nas periferias, poderá ter algum efeito. O restante é ilusão de juristas de terno e gravata, formados em leis branquinhas, que tentam agir em mundos negros e pardos.

26-11-2003

AMANTES DA MORTE

O atentado na Espanha traça nosso novo destino *[em 11 de março, uma série de atentados terroristas, com explosões simultâneas, foi detonada em Madri. O saldo não poderia ter sido pior: foram 191 mortos e 1.500 feridos...]*. Depois do 11 de setembro, Osama declarou que nunca mais os muçulmanos seriam humilhados como foram na Andaluzia, na Espanha. Sabe quando? Quando foram expulsos da Espanha em 1492. Osama também se refere ao tratado de Sèvres em 1920, na França, quando se extinguiu o Império Otomano, ficando o Oriente Médio dividido entre colônias da Inglaterra, da França, da Grécia e da Itália. Está aí a razão da bronca dos islâmicos contra a Europa. Por isso, acho que o atentado tem o dedo da Al Qaeda.

A vingança para esses fanáticos pode esperar milênios. O provérbio deles é: "A vingança é um prato que se come frio". Não há como combatê-los. Não são inimigos. São doentes mentais, amantes da morte, que odeiam tudo o que somos. Os Estados Unidos e aliados deveriam ter tratado esses canalhas como loucos, mas trataram como inimigos. Eles não são; são doentes que não temem a morte.

Essa guerra não terá fim jamais. Não é uma guerra política – é a loucura humana desencadeada. Somos atacados por um deus dos fanáticos; parece um fenômeno natural, um furacão, um terremoto, não há o que fazer. Claro que tudo piorou com o fanático Bush atacando o Iraque. Trata-se do mito americano da solução: "Vamos resolver isso na marra". Conseguiram multiplicar por mil a vingança sagrada.

O mundo agora é assim, acostume-se. Pior vai ser quando o Paquistão cair nas mãos desses filhos de Maomé e eles conseguirem armas atômicas. Aí a barra vai pesar. Talvez seja isso que anunciam como "o vento da morte negra". Quem diria que o século XXI seria igual ao século VIII, quando começou essa loucura nascida no deserto e na miséria.

12-3-2004

MÁFIA INDISTINTA DE POBREZA

Lúcio Flávio *[criminoso dos anos 1970 que roubava bancos e ganhou até o filme* Lúcio Flávio, o passageiro da agonia, *de Hector Babenco]* tinha uma frase que ficou famosa: "Polícia é polícia, bandido é bandido". Hoje, a fronteira entre o bem e o mal é quase nada.

O que faz um sargento assaltar, uniformizado, na companhia de outros bandidos? O mundo de onde são recrutados os PMs é o mesmo dos bandidos. Eles vêm de favelas, zonas pobres, muitas vezes crescem com os meliantes. Bem e mal hoje são uma máfia indistinta de pobreza com ignorância e desespero. Um PM ganha uma miséria. E já vimos gravações de PMs pedindo, como mendigos, gorjetas de cinquenta, cem reais, a traficantes.

A divisão agora é outra: de um lado estão aqueles que podem usufruir da normalidade da vida – casa, comida, cultura –, de outro, os que moram, com ou sem farda, no mundo do nada, sem futuro, onde é a morte quem manda. Ali, não tem sim nem não, tudo é tragédia.

Apesar de alguns PMs criminosos, a maioria deles são heroicos, sim. Estão sendo assassinados progressivamente pela burrice burocrática das secretarias de segurança, que lhes põem em casamatas, indefesos nos morros, ou os obrigam a ficar dando sopa em esquinas, expostos às metralhadoras dos traficantes.

Eles são vítimas da falta de seriedade e da organização ausente dos poderosos. Hoje, polícia e bandido se misturam na mesma tragédia. Porque surgiram outros bandidos maiores e intocáveis na política e nos altos escalões de poder. Esses são os verdadeiros criminosos.

21-7-2004

E A ALMA CADA VEZ MAIS ENDURECIDA

O mundo inteiro está horrorizado com as cenas do massacre na Rússia. Trezentas crianças foram esmagadas pelo fanatismo islâmico *[militantes islâmicos tomaram uma escola em Beslan, no sul da Rússia, e acabaram entrando em confronto com forças de segurança]*. Diante de tragédias como essa, o que podemos fazer? Podemos dizer o quê? "Que horror!"? Precisamos fazer alguma coisa, mas não há nada mais a fazer contra o terrorismo. Essa doença mental em nome de Deus veio para ficar. Só nos resta entender que mudanças a barbárie vai provocar em nossas mentes. E não venham com o papo de que também somos bárbaros, que o Ocidente é bárbaro.

A violência islâmica não tem limites. Os fanáticos islâmicos nos tiram o sentido da vida, a esperança, a compaixão, e querem matar a própria morte. A cada ato de terror, como esse na Rússia, mais a nossa alma vai ficando endurecida. A cada dia, acordamos e perguntamos: "Quantos cadáveres hoje? Só trinta? E os sessenta de ontem?". A cada dia, nosso ódio vai crescendo e, a cada dia, nós, os chamados "cães infiéis", o apelido que nos deram, vamos ficando mais ferozes, mais vingativos. A cada dia, os fascistas, como Bush e outros, vão usar o terror para aumentar seu controle sobre a política e a vida.

Os atentados vão ficar mais brutos e as retaliações também. Os americanos já estão com planos de minibombas atômicas táticas. A violência dos fanáticos vai nos contaminar aos poucos. Nossas respostas serão cada vez mais duras. Esses lixos humanos, egressos da Idade Média, estão criando um futuro sujo e sem piedade, um futuro sem paz e sem beleza. Eles já são assim. Nós é que vamos piorar muito. E tudo em nome de Deus.

6-9-2004

PARANOIA,
CAPITAL POLÍTICO

O governo Bush resolveu unificar todos os serviços de espionagem e segurança que estão diretamente abaixo do presidente. Porque, hoje, a segurança é uma questão de manipulação política, de modo a manter vivos os níveis de alarme e paranoia do povo americano.

A paranoia é uma doença conhecida. O sujeito acha que o mundo inteiro está errado e só ele está certo, e, por isso, todo mundo o persegue. Mas a paranoia também é um grande capital político. Quanto mais paranoico for um povo, mais fácil de ser comandado.

Osama deu uma ajuda preciosa ao Bush. Quando Bush entrou, não sabia o que fazer. Osama deu-lhe um programa, um projeto, um ideal. A espionagem e os órgãos de segurança se enfraqueceram com o fim da Guerra Fria. Ficaram defasados diante da novidade terrorista, com inimigos suicidas e invisíveis se reproduzindo como coelhos bomba.

Agora, Bush vai congregar todos os espiões sob seu controle direto. Ele e seus cientistas loucos serão "os protetores da América". E protetores precisam de um povo com medo. Povo com mais medo, mais poder. Mais poder, menos democracia. Menos democracia, e Bush e sua turma ficam mais próximos de seu ideal: a América isolada, puritana, andando de marcha a ré.

20-12-2004

TER ALMA NÃO É COMERCIAL

Chegou ao fim o julgamento de Suzane von Richthofen e os irmãos Cravinhos *[Cristian e Daniel]*. Foram condenados. Mesmo assim, senti que muitas pessoas ficaram com um vago sentimento de decepção. Mais do que a condenação de Suzane, desejaríamos uma explicação. Por que uma jovem bonita e rica manda matar os pais enquanto dormiam? Os Cravinhos são criminosos comuns, que estavam atrás de dinheiro. Existem milhões de Cravinhos em busca de uma Suzane, de uma brecha para entrar na classe dominante.

Cravinhos e PCCs tiram o sossego, podem nos roubar e matar. Mas Suzane nos tira o sossego da alma. Assim como há pessoas que nascem sem braços, há aquelas que nascem sem afetividade. Para elas, não há o outro, há apenas outros para serem usados, manipulados e até assassinados para satisfazer seu desejo psicopata. Essa anomalia está crescendo muito em uma sociedade onde só existe interesse pelo próximo quando esse der lucro. Ter alma, ou piedade, não é comercial, dá prejuízo.

A sociedade em que vivemos gera desde sanguessugas até suzanes. E não adianta condená-la à cadeira elétrica, prisão perpétua, nada. Seu crime nos assombra e tira o sentido de nossas vidas, tanto pela violência como pela banalidade. Há entre nós e a loucura um limite que é tênue, e muitas coisas não têm mais solução nem sentido hoje. Estamos vendo tantos horrores que criamos, aos poucos, pele de rinoceronte. Temos medo de que um dia fiquemos assim, como Suzane.

24-7-2006

MAL BANALIZADO

Está surgindo no Brasil um novo tipo de crueldade. Não se trata de sadismo apenas. O sadismo pressupõe prazer planejado, perversão de fruir o mal, a violência. Não, não é isso. É apenas descaso, brutalidade banal. Mata-se por nada, destrói-se o outro como se cospe, como quem chuta uma pedra. Não há ideologia, misticismo, fé, loucura. Nada. Apenas a morte gratuita, sem nome.

No Oriente fundamentalista, há um motivo maluco de vingança contra os infiéis, há a lei da matança dos diferentes, de quem não pensa semelhante. Aqui, não. Mata-se por nada, por qualquer razão banal. Mata-se com o mesmo desamor que se tem por si mesmo. Mata-se porque há identificação com a própria miséria interna.

Está surgindo no Brasil uma nova forma primitiva de comportamento. E que afeta pessoas massacradas pela miséria, pela fome, pela barbárie. Canalhas espancaram uma trabalhadora porque acharam que era prostituta, "ratos" queimaram um índio pataxó porque pensaram que era mendigo. Há nessa gente um sintoma de que algo muito grave está acontecendo no país. Fatos como esses rimam com o que acontece de ruim na política, escândalos a que assistimos boquiabertos. Não se trata mais de impunidade ou de perder a ideia de lei. O que existe é um grande vazio político e cultural, uma falta de sentido até para a maldade, uma falta de motivo para a violência.

O país não tem mais projeto, a política virou um balé de mentiras, o presidente se encasulou em seu deslumbramento egoísta e paralisado. Como nada acontece, "ratos" e canalhas saem à noite para zoar, nem que seja para matar garçons ou espancar inocentes, até para que tenham a sensação de que alguma lei possa puni-los. A única esperança é que sejam presos e colocados em uma boa prisão coletiva perto da boca do boi. Pode ser que, assim, seja feita alguma justiça.

29-6-2007

E A CRUELDADE CRESCE

Tentei não ler sobre a morte da menina Isabella *[Nardoni]*. Também evitei saber detalhes do assassinato daquele menino que foi arrastado por bandidos, João Hélio *[Fernandes]*, porque, na minha profissão, tenho que selecionar os horrores, caso contrário fico maluco. Mas não consegui. Vi o desfecho do caso da menina morta. Essa tragédia não é só das vítimas. Nós também sofremos para entender esse mal incompreensível. Cresce em nós uma pele de rinoceronte na alma. Com o coração mais duro, ficamos mais cínicos, mais passivos diante da crueldade.

Um filósofo chamado Oswaldo Giacoia Júnior escreveu o seguinte: "O insuportável não é só a dor, mas a falta de sentido da dor, mais ainda, a dor da falta de sentido". Como entender que um pai e uma madrasta possam ter ferido, estrangulado e atirado uma menininha de cinco anos pela janela? Como entender a cara sólida e cínica que ostentavam para fingir inocência? Por que não demonstravam sentimento de culpa algum? Ninguém berrava, ninguém chorava. Como podem querer viver depois disso? Como essa família – pais, mães, irmãos – se une na ocultação de um crime? Como o avô pôde dizer com cara de pau que "se meu filho fosse culpado, denunciaria"? O que essa gente quer? Preservar o bom nome da família? Mas são parentes ou cúmplices?

A polícia deu um *show* de bola pericial no caso Isabella. Mas a nossa estrutura penal está muito defasada com o espantoso crescimento da barbárie. Como se pode tolerar que um sujeito *[o ex-cirurgião plástico Farah Jorge Farah]* tenha sido condenado somente a treze anos de prisão por ter esquartejado a namorada *[a paciente Maria do Carmo Alves]*, alegando legítima defesa *[Farah disse que Maria do Carmo o atacou]*, e possa ficar em liberdade até esgotarem os recursos que a lei prevê? Como entender que o jornalista *[Antônio]* Pimenta Neves, que premeditou o assassinato da namorada *[Sandra Gomide]* e a matou com dois tiros – um nas costas, outro no ouvido –, já condenado há seis anos, ainda esteja em liberdade?

As leis de execução penal têm que ser aceleradas, as punições precisam ser mais violentas, mais rápidas, mais temíveis. Há um crescimento da crueldade acima de qualquer codificação jurídica. Essa lentidão, esse arcaísmo da Justiça, é visível não apenas nos crimes de classe média mas também na barbárie que galopa nas periferias. O Elias Maluco *[o traficante Elias Pereira da Silva]*, aquele que matou o *[jornalista]* Tim Lopes com golpes de espada, estava em liberdade condicional. Não se trata mais de perversão do humano. Mas de perversão do animal em nós.

Os pensadores da Justiça continuam a tratar os crimes como desvios da norma, praticados por cidadãos iguais. Mas é preciso acabar com o tempo dos casuísmos, das leniências, das chicanas. Esse casal de pedra *[Alexandre Nardoni e Anna Carolina Jatobá, pai e madrasta da menina Isabella]* será condenado a dez aninhos com atenuantes? A lei tem que ser mais temida e mais cruel. Esse vazio da Justiça explica o sucesso de filmes como *Tropa de elite* e as fantasias de linchamento em nossas cabeças, que Deus me perdoe.

21-4-2008

MARÉ DE RACISMO

Parece que a vitória de Barack Obama está acendendo uma onda de racismo na América. A Ku Klux Klan desfralda suas bandeiras sinistras e também já se contam 888 grupos de ódio no país, grupos que se odeiam mutuamente.

Na internet, é possível ver o racismo de duas maneiras: "Esse negro canalha é do Quênia e vai deixar a América como a África". E um negro raivoso responde: "Esses brancos filhos da mãe têm que ser raspados da terra como baratas sujas".

O racismo está em toda parte. Até hoje, palestinos contra judeus e vice-versa, faxina étnica na Bósnia, no Iraque, em Guantánamo, Irã contra Israel, brancos contra índios e vice-versa. O racismo vai além da cor da pele. É a necessidade de botar as frustrações de nações e de indivíduos nas costas de alguém. A culpa é sempre do outro, do diferente de nós.

O racismo é a simplificação do incompreensível. Obama não foi eleito porque é preto. Venceu porque é capaz, decente, moderno, culto. Falar em presidente negro é racismo, é simplismo. Obama vai errar também, claro. Não vai resolver muita coisa do lixo que o Bush deixou. O perigo é que se reative o racismo e o antirracismo:

– Viu só? A culpa é do negão.

– Não, não é não. A culpa é dos brancos azedos e racistas.

Aí, sim, será uma vitória da Ku Klux Klan, do mal contra o bem. Ou do bem contra o mal, o que dá no mesmo.

13-11-2008

PERSONAGEM

Por trás da fama e do brilho do sucesso, dos sorrisos luminosos, da alegria programada para revistas, existe grande solidão. Na sociedade de massas, as multidões criaram a ilusão de que o indivíduo, narcisista, *free-lancer* existencial, pode substituir a felicidade do convívio e da solidariedade social.

Às vezes dá certo, mas a maioria fracassa. Há pessoas excepcionais que escapam da mediocridade e há aquelas que usam a estupidez para subir na vida. A ignorância é tanta que muitos conseguem, substituindo o mérito pela fama. É só olhar as revistas e as colunas sociais.

O PROTÓTIPO TRÁGICO DA MULHER-OBJETO

Pouco mais de quarenta anos atrás, desaparecia uma das mais belas mulheres do mundo. Marilyn Monroe foi encontrada morta. A suspeita é que cometeu suicídio ou morreu vítima de overdose. Ela se foi muito jovem, ficou parada no tempo, como uma estrela apagada, da mesma forma que outros mitos do cinema, a exemplo de Elvis Presley, James Dean, Carmen Miranda. Qual homem não teve fantasias sexuais com essa loura que falava baixinho, que se oferecia para a imaginação do mundo?

Marilyn foi o protótipo trágico da mulher-objeto. Morreu quando a liberdade sexual da década de 1960 ainda engatinhava e foi uma mártir daquele tempo que começava. Estava no meio do caminho entre a geração silenciosa do pós-guerra de Eisenhower

[Dwight, presidente dos Estados Unidos entre 1953 e 1961] e os anos 1960. Morreu um ano antes de seu amante mais famoso, John Kennedy, e antes também de seu outro amante, Bob Kennedy, irmão de John, igualmente assassinado.

Marilyn era livre e solta, mas fazia o papel da loura burra para não assustar os homens. Mesmo mulheres fortes, como a aristocrática Jacqueline Kennedy, falavam como ela – vozinha de menina, o charme das "fraquinhas" da época. Uma das cenas mais revoltantes de uso indevido de uma mulher é Marilyn cantando *Parabéns pra você* a Kennedy, seminua na Casa Branca, como uma escrava dançando para seu rei. Ali, ela era uma caricatura de si mesma e, naquela noite, já se antevia seu destino trágico.

A alma de Marilyn foi comida por poderosos e machos cruéis daquele tempo. É interessante como certos momentos de mudança histórica matam seus personagens mais famosos. Marilyn morreu quando teve início a liberdade – sexual e social. Os Kennedy desapareceram logo depois. Mais tarde, Janis Joplin e Jimi Hendrix, no início da década careta de 1970, e John Lennon, quando o mundo da desesperança começava nos anos 1980. Marilyn foi vítima e heroína. Um exemplo da trágica fragilidade da mulher no mercado da carne e da imagem.

6-8-2002

GRANDES MORTOS

Quero falar de mortos ilustres, de dois grandes homens: Nelson Rodrigues, que, neste ano, faria noventa anos *[nasceu em 23 de agosto de 1912]*, e Carlos Drummond de Andrade, um de nossos maiores poetas, que estaria completando cem anos *[era de 31 de outubro de 1902]*. Como o tempo passa rápido para os mortos!

Nelson Rodrigues foi um grande amigo. Filmei duas histórias que ele escreveu, *Toda nudez será castigada* e *O casamento*. Nelson é considerado um pornográfico imoral e outras bobagens ditas e escritas por ignorantes. Sua importância, porém, é literária, quase antropológica, porque compõe um dos mais precisos e preciosos retratos de nossa classe média urbana – dos anos 1930 a 1960 – com uma riqueza crítica e amorosa rara em nossa literatura, tão pobre de dramas suburbanos. Dedicava-se ao homem comum, ao vagabundo da cidade, ao pé-rapado, à pobre viúva, à prostituta louca, à virgem perversa, ao barnabé suicida, à dona de casa em busca de amor, à madame Bovary da Tijuca e do Méier, a todos os tipos que formavam uma sociologia da fala, dos gestos e dos hábitos de nossa classe média. Tudo entrevisto por trás de seus diálogos geniais.

Outro grande morto é Carlos Drummond de Andrade, que vivia entre o concreto e a metafísica, entre o cotidiano e o absurdo da vida. Drummond escrevia dividido entre a salvação do povo e o desencanto com o povo. Mesmo suas poesias cheias de esperança eram repassadas de profunda tristeza. De certa forma, parecia prever o que nos aconteceria depois de sua morte. Ele sentia que vivíamos em um mundo que se esvaía, cheio de homens sozinhos na América, nas ruas, nas noites. Em um de seus mais belos poemas, Drummond dizia: "Ganhei (perdi) meu dia/ e baixa a coisa fria/ também chamada noite" *[trecho do poema "Elegia"]*. Em outro poema, via o mistério da máquina do mundo se abrindo para ele, e se recusava a ver o que ela queria mostrar. Talvez o segredo da máquina do mundo fosse muito terrível para ser revelado. Os mortos ilustres são muitos. Onde estão os vivos?

7-8-2002

UM VILLA-LOBOS DA IMAGEM

O grande brasileiro Glauber Rocha morreu em um 22 de agosto. Era uma espécie de Villa-Lobos da imagem. Foi o homem que inventou o cinema do Terceiro Mundo, que fez a primeira reflexão, por meio de filmes, sobre a vida trágica do Brasil e da América Latina. Glauber foi autor de obras-primas, entre elas *Deus e o diabo na terra do sol*, *Terra em transe* e *O dragão da maldade contra o santo guerreiro*. Muitas pessoas não conhecem a obra desse homem nesses tempos de tevê massificada, de pagode. Glauber sintetizou a nossa injusta situação no campo, as relações de força e de loucura no mundo do latifúndio e os mecanismos de poder que tornam a governabilidade brasileira quase impossível.

Naquele tempo, o Cinema Novo era fonte de pensamentos críticos sobre o país, antes da ditadura do mercado. A arte era arma crítica contra a injustiça e a boçalidade política. Com seus filmes, Glauber mostrou a complexa loucura de nossa formação histórica. Mostrou como o Brasil é governado por oligarquias de doidos, oportunistas e amantes do atraso.

Em *Terra em transe*, há uma cena que é uma síntese da vida brasileira de hoje. Em uma escola de samba, o povo dança e canta entre ladrões, pelegos, demagogos, policiais, religiosos, bacharéis, prostitutas – todos em um emaranhado barroco que culmina com o ator Jardel Filho tapando a boca de um sindicalista burro, dizendo para a tela: "Vocês já imaginaram este cara no poder?". Foi a maior provocação da sociologia simplista dos derrotados de 1964, o que valeu a Glauber o ódio eterno daqueles que acham que pobres são uma espécie de divindade intocável, e não pessoas destituídas e manipuladas. Daquela cena antológica saíram o teatro de Zé Celso *[Martinez Corrêa]* e o tropicalismo na música. Naquela sequência de *Terra em transe* estava o país de hoje, na suja orgia pré-eleitoral.

Glauber não era o guerreiro radical como o definem hoje. Ele trouxe a dúvida contra as certezas burras. Foi o primeiro a apontar as razões da derrota para os militares em 1964. O primeiro a falar em alianças, já que, desesperado com a burrice das esquerdas paralisadas por dogmas, cometeu o saudável sacrilégio de tentar uma adesão de militares à abertura que vinha com Geisel. As patrulhas só faltaram matá-lo, julgando-o reacionário e adesista. Logo ele, que buscava uma saída para o nosso subdesenvolvimento.

Se você nunca viu um filme de Glauber, assista a *Deus e o diabo na terra do sol* e veja o que poderíamos ter feito em vinte anos – aqueles que passamos em branco. Que Deus cuide da alma de Glauber Rocha, que morreu pobre e esquecido, como todo gênio neste país. Morreu jovem quando tantos canalhas velhos parecem não morrer nunca.

22-8-2002

UM CINEASTA QUE ERA UM OÁSIS

Faz dez anos que morreu um dos maiores mestres do mundo, Federico Fellini, o homem que criou *La dolce vita*, *E la nave va*, *Oito e meio*, *Amarcord*, *Noites de Cabíria*. Fellini, com sua poesia, era um oásis no cinema moderno, tão cheio de abacaxis, de filmes catástrofe, que acabaram dando a ideia a Osama de destruir Nova York. Fellini filmava apenas histórias populares, fáceis de entender, que mostravam nossa fragilidade, nossos desejos comuns. Fellini era lírico e humorístico. No entanto, todo mundo cobrava de Fellini posições políticas. Os comunistas, indignados, rosnavam: "Esse cara é um pequeno burguês". Os *undergrounds* odiavam a doçura, a clareza e o repertório de singelas realidades e diziam: "Muito careta!".

Fellini estava acima dessas definições. Não era comunista, nem fascista, nem cristão, nem ateu, nem de direita, nem de esquerda. Fellini era Fellini. Tudo o que tinha era a própria vida. Era muito culto. Tinha uma coisa preciosa para um artista, o que Shakespeare chamou de "o leite da bondade humana". Uma imensa delicadeza com a vida e uma grande compaixão pelas pessoas. Mesmo o mais grotesco de suas personagens era visto com compaixão. O canalha tinha razões tristes para ser um pobre canalha que roubava a prostituta. O *playboy* era um babaca solitário.

Fellini disse certa vez: "O único e verdadeiro realismo é o realismo visionário". Na mosca! Seus filmes nos tomavam como se víssemos a vida e as pessoas pela primeira vez. Ele tinha a imensa capacidade de criar tipos instantaneamente legíveis, com complexa psicologia. Os idiotas o criticavam, chamando-o de "grande mistificador". Disse ele: "É, pode ser que eu seja mesmo um mistificador, porque minha adesão à realidade é sempre subjetiva e emocional". E como filmava bem! Filmava sem a lógica infernal da narrativa americana, filmava como quem pintava, como um contador de histórias, e, quando precisava dar um *show* de bola, dava. Como a cena do bordel fascista em *Roma*, ou do engarrafamento no mesmo filme, ou dos bolos caramelados nos banquetes romanos em *Satyricon*.

Guardo esses grandes momentos do cinema na minha cabeça para instantes de tristeza e acabo usando-os como remédio. Como esquecer o pavão da condessa abrindo sua cauda de azul prateado sobre a neve de Rímini? Como esquecer o concerto dos músicos velhinhos nos copos de cristal de *E la nave va*? Como esquecer as lágrimas negras de Cabíria ou o grande navio de papelão sobre o mar de *Amarcord*? Às vezes, quando não durmo, com uma insônia angustiante, penso: "É, não estou dormindo, mas existe um Fellini em minha lembrança".

3-11-2003

UM DE NÓS

A vinda da exposição de Pablo Picasso ao Brasil foi muito oportuna, porque precisamos de beleza, principalmente em uma cidade horrenda *[como São Paulo]*, que nenhuma "operação belezura" resolve se não for radical. Picasso nos traz a beleza, mas não a beleza meio metida a besta de gênios falsos. Picasso era grande de verdade.

Picasso era um gênio meio maluco que nasceu com a missão de reexplicar o mundo para nós – aqueles que veem menos do que seus olhos negros e profundos viam. A viúva de Picasso disse que ele não podia ficar com a mão parada. Mexia em tudo. De um peixe comido, tirava a espinha e fazia uma cerâmica. Um selim de bicicleta, transformava em cara de boi. De um beijo na praia, uma fome voraz entre corpos – transformava uma mulher em flor e uma flor em mulher.

Picasso ficava desenhando para não enlouquecer. Fez perto de 36 mil quadros, além de esculturas e cerâmicas. A exposição que esteve em São Paulo mostrou não a importância de Picasso na arte, mas sua recusa a ser importante, metafísico, pintor acima da vida de todos nós. Picasso sempre quis ser um de nós. Era um pintor popular e, por isso, sempre se formam filas para ver seus quadros. As pessoas vão para se ver.

Picasso era um rude espanhol, um torcedor de futebol, um apreciador de mulheres, um glutão, um aficionado por touradas, que não queria humilhar ninguém. Picasso não deformava nada, como costumam dizer sobre ele – tinha, ele mesmo, outra forma. Seus olhos negros, que nos fitam sem parar, parecem dizer: "Vejo todos os lados dos corpos, vejo as figuras dentro das outras, vejo o espaço entre as pessoas, as linhas invisíveis que as ligam, os vazios dentro delas, vejo também o ridículo da beleza como algo sublime. Não há nada a se atingir. Por isso, minha frase 'não procuro, acho' é tão mal interpretada. Isso não quer dizer que tenha talento ou algo assim. Essa frase quer dizer que não sei para onde estou indo. Só chego ao quadro no final dele". Isso seria o que Picasso gostaria de dizer para nós.

Picasso era grafiteiro, seus quadros são até mal acabados. Picasso era sadio. Nunca teve a romântica amarelidão do sofrimento em busca de um sentido. Adorava viver e pintava a própria vida, feliz, de bermuda, rindo, comendo, fumando. Jamais acreditou que o artista só pode ser grande caso sofra. Para ele, o artista era grande se vivesse. Picasso amava a vida, e sua arte mostra isso. Sua arte melhora muito nossa vida, muda nossos olhos. Chega de ver porcaria, poluição e lixo. Viva Picasso e seu paraíso de beleza.

2-2-2004

EU
NÃO SOU EU

O senhor Paulo Maluf disse na tevê que faria uma doação aos hospitais da Santa Casa se alguém provasse que seu dinheiro está depositado em um paraíso fiscal. Acho que a Santa Casa deveria cobrar a grana que Maluf prometeu, porque ou enlouqueci de vez, o que não é improvável, ou as provas já foram apresentadas. Nos papéis mostrados na tevê e nos jornais do país, estão os cheques assinados por Maluf e as afirmações das autoridades da Suíça, da França e das Ilhas Jersey que comprovam a abertura de contas, os nomes e as assinaturas de sua família. Os dados estão em pacotes de vinte quilos de documentos, com centenas de páginas.

E nosso Maluf vem a público para dizer: "As provas, onde estão as provas? Se alguém provar, dou a grana". Mas essas são as provas. Ao menos antigamente, quando me formei em direito. O poder de negação dele é espantoso. Continua dizendo que não são provas as provas que provam ser provas, o que nos dá um sentimento de irrealidade, de que talvez não sejamos nós mesmos. Temos de nos beliscar para sentir que não estamos sonhando. E ele continua dizendo que seus inimigos inventaram tudo. São 300 milhões de dólares em seu nome que supostamente estariam em bancos estrangeiros.

Que provas novas ele demanda? Talvez um filme em cores, em *cinemascope*, de Maluf dentro do cofre do banco, rolando em cima dos dólares? Maluf é a prova viva de que nosso sistema jurídico tem que ser reformado. Porque, um dia, talvez vejamos o Maluf, se não tiver mais argumentos, dizendo na tevê: "Não sou eu. Não sou o Paulo Maluf".

12-5-2004

BEIJOS INFINITOS

Brigitte Bardot, BB, faz setenta anos. Brigitte era a vanguarda de um feminismo ainda primitivo. Uma devoradora de homens. Na tradição do cinema, já tínhamos tido Mae West, Louise Brooks. Mas as outras eram vampiras, matavam a mando, e Brigitte era inacessível, autossuficiente, não precisava dos homens, queria apenas enlouquecê-los. Fez isso na vida real também, deixando seus maridos pirados. Sua mensagem era: "Sou livre. Sou de todo mundo e de ninguém".

Era linda. Um corpo moderníssimo, fina e esguia, mas com seios bonitos, grandes. E a boca? A boca era um símbolo sexual. Prometia beijos infinitos e servia para fazer biquinho, um biquinho com o dedinho no lábio, fingindo-se de inocente. Inocente e altamente sacana. Cruel, mas prometendo momentos de pura delícia.

Brigitte era pós-Marilyn Monroe. Enquanto Marilyn era a generosa loura com que todos transavam, Brigitte não. Marilyn suicidou-se por causa de solidão. Brigitte também ficou sozinha, mas abriu a década de 1960 com sua beleza, lançou o biquíni e mostrou que as oprimidas eram compreensíveis para os homens quando eram oprimidas. Depois que a mulher ficou livre, ninguém está entendendo mais como elas são.

29-9-2004

HOMEM GENTIL,
PIANO DISCRETO

Antonio Carlos Jobim teria feito oitenta anos ontem, 25 de janeiro, mas, em 1994, voltou para a natureza. A morte de Tom Jobim, em 8 de dezembro, foi quase um crime ecológico. Como poderia ter morrido aquele permanente hino à vida? Aquele homem que não parecia uma pessoa normal, um mortal, mas uma grande árvore de onde saíam flores e frutos, que fazia do Brasil um grande país?

Tom Jobim era mais do que um músico: era uma ideologia delicada, sem líderes, sem *slogans*, apenas com bandeiras leves e coloridas como asas de pássaros. Tom e sua música pregavam basicamente a delicadeza, a simplicidade, o amor à vida, a tolerância. Sua música era de poucas notas. Seu piano, muito discreto, discretíssimo. Suas harmonias compunham um sonho para o país, que ele passou para todos nós na década de 1960. Ele, a bossa-nova e tudo o que aconteceu naquela época apontavam para um futuro de calma e alegria. Ele dizia: "O Brasil será feliz somente quando for uma grande panela, viu, Jabor?". É verdade.

Durante poucos anos, parecia que o Rio de Janeiro tinha atingido um caminho para a perfeição: praia, mar, beleza, música. Éramos jovens, éramos personagens de uma verdade. Éramos a verdadeira esquerda, talvez utópica, romântica, para quem o amor era política, cantar era política, criar e viver eram atos políticos. Éramos ingênuos, porque não sabíamos ainda que, com o golpe de 1964, e 1968, o mal ia rasgar nossas bandeiras e nossas esperanças.

Tom estaria comemorando seus oitenta anos. Será que estaria contente? Creio que não. Ele não suportaria ver sua Ipanema utópica transformada em campo de batalha da barbárie e da corrupção. Mas Tom era um homem bem-educado, gentil. Talvez fingisse felicidade, desse sorrisos, apagasse as velinhas do bolo. Depois, acredito, iria sentar-se no meio-fio da rua Montenegro, tomaria um porre monumental e choraria lágrimas de esguicho.

26-1-2007

COISA
NOSSA

Estamos diante dos setenta anos da morte de nosso grande gênio, Noel Rosa, que morreu aos 27 anos – um menino –, deixando mais de duzentas obras-primas musicais. Quem faz isso hoje? Noel foi um dos marcos da modernidade urbana no Brasil. Enquanto São Paulo industrial fez o modernismo de 1922, agressivo, antropofágico, influenciado pela vanguarda francesa, no Rio o modernismo foi feito quase solitariamente por Noel Rosa. Acabava o Brasil dos luares do sertão, "não há, ó gente, ó não, luar como esse do sertão".

Noel poetizou a modernidade cotidiana de um Brasil que se urbanizava, como Oswald de Andrade. Ele também achava que a poesia estava nos fatos. Mas, enquanto São Paulo fazia o modernismo do trabalho e dos negócios, Noel fazia o modernismo do ócio: "Nessa prontidão sem fim, vou fingindo que sou rico, pra ninguém zombar de mim" *[estrofe da música "Filosofia"]*.

Sem influência francesa, a grande poesia de Noel Rosa nascia no meio-fio, com a mulata, o baleiro, o jornaleiro, o motorneiro, o condutor e o passageiro. Noel compunha no botequim, no orvalho que caía, enquanto os apitos das fábricas de tecido feriam seus ouvidos. Noel Rosa parecia pressentir uma violenta turbulência que viria no futuro. E já defendia, naquela época, a inocência de um Brasil frágil.

Tom, Vinícius, João Gilberto, Edu Lobo, Caetano, Gil e todos os grandes músicos do país continuam a cantar essa delicadeza perdida. A nossa extraordinária música está de pé, mesmo em meio à vulgaridade industrial das massas. E Noel nos lembra que a música popular brasileira tem que continuar de pé, como utopia do passado e como ânimo para o futuro. "O samba, a prontidão e outras bossas são coisas nossas, são coisas nossas" *[estrofe da música "São coisas nossas"]*. E onde estão nossas coisas? Estão neste mundo louco. Não vamos perdê-las, porque "quem acha vive se perdendo" *[frase da música "Feitio de oração"]*.

7-5-2007

UM GRANDE HOMEM PESSIMISTA

Quando morreu, Ingmar Bergman, um dos maiores cineastas de todos os tempos, tinha quase a idade do cinema. Estava beirando os noventa anos. Quando Bergman nasceu, o cinema ainda criava sua linguagem, sua gramática. Começou como arte superficial, comercial, nascida nas feiras de Los Angeles e sem nenhuma tradição artística. Era quase uma curiosidade de parque de diversões. Mas, dessa superficialidade, fizeram-se muitas obras-primas. Justamente pela liberdade que a ignorância da tradição permitia.

Um filme como *Cantando na chuva* é uma das grandes obras do cinema. E, no entanto, foi feito apenas com interesses comerciais, de produção comum. Em geral, os filmes que tentaram competir com a criação literária quebraram a cara. Quando iam filmar Joyce ou Proust, os cineastas se tornavam chatos ou superficiais. Ingmar Bergman foi exceção. Formou-se na melhor tradição metafísica e filosófica da dramaturgia nórdica, que fez dramaturgos como Ibsen e Strindberg, ou de filósofos de alto nível, como os de tortura existencial, a exemplo de Kierkegaard.

Bergman tentou fazer, digamos assim, um cinema profundo. E conseguiu. Seus filmes principais casavam a melhor linguagem do fílmico cinematográfico com uma reflexão filosófica, que é páreo para os principais pensadores do século XX. Obras como *Gritos e sussurros*, ou *Fanny e Alexander*, estão pau a pau com Samuel Beckett, Thomas Mann, Kafka.

Bergman foi um cineasta torturado, perseguido pela dor das finitudes, pelo medo da morte, pela angústia, pelo nada. Conseguiu, apesar disso, chegar quase aos noventa anos. Pensava muito na morte, mas transou com as mais belas atrizes da Suécia. Nada mal para um pessimista como ele. Grande vida, ele teve. Parabéns, grande homem, neste mundo de homens pequenos. A superioridade de Ingmar Bergman sobre os cineastas de hoje é de dar pena. Deles, naturalmente.

31-7-2007

UM HOMEM QUE FAZ O BEM

O arquiteto Oscar Niemeyer faz cem anos. É um belo dia para ele, mas um dia importantíssimo para a cultura. Nessas datas, todas as obviedades são repetidas, como essas que acabei de dizer. Mesmo assim, vou tentar situar a importância desse aniversário. Vários arquitetos, por inveja ou por diferenças teóricas, criticam Niemeyer, porque ele seria pouco funcional, porque seus prédios não são habitáveis, porque ele não faz arquitetura, mas escultura. Talvez até haja razão em algum argumento crítico, mas a grandeza do trabalho de Niemeyer está justamente em seu lado menos útil.

Niemeyer é um dos criadores de um espaço simbólico no Brasil, um homem que ajudou a nos dar algum significado, nos deu os traços fisionômicos de uma modernidade que talvez nem exista na prática concreta de nossa miséria. Toda a sua arquitetura evoca esperança, nos faz pensar em um voo para o futuro.

Estamos vivendo uma época terrível de nossa fé no Brasil. A eclosão de violências, os vexames públicos a que temos assistido, os roubos, as mentiras, o egoísmo e a má-fé me trazem à mente uma palavra: bondade. Como é importante que haja homens bons no país. Bons, simplesmente. Gente que passa a vida tentando criar alguma coisa bela, útil, apenas por amor à nação, por amor à verdade. Precisamos voltar a louvar nossos grandes homens para ver se esqueçamos um pouco os canalhas que nos cercam e povoam nosso cotidiano, nosso noticiário.

Oscar Niemeyer é assim, um homem que só fez o bem. Um homem bom, como grandes artistas brasileiros. Mudou nossos olhos, nos ensinou o poder da imaginação, a beleza das formas e de coisas que não existiam antes de seu traço. Parabéns, Oscar Niemeyer, mas parabéns a nós, que melhoramos muito com sua existência. Obrigado, Oscar Niemeyer.

14-12-2007

CINEMA

O cinema foi o sonho de liberdade da minha geração nos anos 1960. Achávamos que a então chamada "sétima arte" iria derrubar a muralha da indústria cultural que surgia violenta sobre as massas. No entanto, o que mudou foram os olhos do espectador. Os filmes que esses olhos desejam são brutos, rápidos demais, violentos, sempre buscando uma *loudness* maior, uma audiência mais vasta e, portanto, mais vulgar.

A maioria dos comentários fala da nostalgia dos tempos da delicadeza, quando, mesmo nos filmes "comerciais", o cinema buscava alguma reflexão moral ou estética. Cinema para mim, hoje, é saudade das ingênuas vanguardas, da esperança do Cinema Novo, de uma independência narrativa e poética perdida.

AULA DE BRASIL

O documentário *Ônibus 174*, de José Padilha, foi montado com fragmentos assustadores que apareceram na tevê no dia em que o ônibus 174 foi sequestrado no Rio por um rapaz sobrevivente da chacina da Candelária *[na madrugada de 23 de julho de 1993, oito menores foram assassinados por policiais na praça onde fica a igreja]*. É um dos filmes mais importantes dos últimos tempos. Mais do que um filme, é uma aula de Brasil. O pobre-diabo *[o sequestrador Sandro do Nascimento]* não ia matar ninguém, mas, triturado nos dentes da miséria carioca, entre prisões, crack e sangue, viajou até o clímax do sequestro. Nesse filme está escrito nosso destino.

Todos os brasileiros devem assisti-lo para entender por que somos inocentes e culpados. Trata-se do retrato do Brasil de hoje, com todas as conexões do horror que se montou nas periferias do Rio e de São Paulo. A falta de preparo da polícia, a miséria dos equipamentos, a estupidez política que impede a eficiência pública. Serve também para entender a massa imunda de incompetência, egoísmo, escravismo e capitalismo selvagem que criou a insolúvel encruzilhada em que nos encontramos diante do crime e da miséria. Como deixamos isso acontecer?

Qualquer governo, estadual ou federal, precisa começar seu programa de combate à violência, ao crime, à miséria. Não é mais possível engolir a ladainha de que existem prioridades orçamentárias. A obra sangrenta da miséria e do crime deve ser prioridade nacional. É preciso tentar qualquer coisa, montar qualquer plano, ainda que errado. É sujo demais o que acontece debaixo de nossos olhos. O governo tem que alocar imediatamente verbas para isso. Arrocho fiscal? Dane-se! É necessário arranjar dinheiro. Não se pode continuar assistindo ao horror de nossas prisões – masmorras pré-medievais, como mostra uma das mais espantosas cenas de nosso tempo, quando os presos gritam que melhor é morrer do que viver nas celas.

A nossa infância pobre não pode continuar sendo tratada como caso de polícia. Ou – como é dito em linguagem jurídica – como se fossem cidadãos que escolheram o pecado ou o crime. Eles não são cidadãos, porque são tratados somente dessa forma na hora do julgamento. São pobres animais feridos e loucos. São aberrações que criamos. São nossos filhos com o demônio, nossos dejetos que criamos por quatrocentos anos. É cruel demais que não haja nem mesmo uma solução assistencialista, algo para proteger crianças de rua. O filme mostra um terremoto para o qual não mandamos patrulhas de salvamento. *Ônibus 174* é essencial para entendermos a viagem de nossas vidas.

30-10-2002

E NADA DE NASCER OUTRA IDEOLOGIA

A vida brasileira não é só esse ramerrame político que não ata nem desata. Porque a gente não quer só comida, a gente quer também diversão e arte, como cantou Arnaldo Antunes, meu xará. Pois o ótimo filme *Cazuza – o tempo não para*, dos diretores Sandra Werneck e Walter Carvalho, vem batendo todos os recordes de bilheteria. É sobre a vida e a morte desse grande artista que se foi, levado pela peste branca do final do século, a peste que trouxe a morte para o amor e para o sexo.

O filme sobre Cazuza é de gritar de bom, é de chorar, é de rir, e de se ver como foi louca a década perdida, a careta década de 1980, quando Cazuza surgiu com sua poesia desesperada e autoirônica, rascante como uma navalha. O fim da década matou grandes compositores que surgiam e que iam mudar a música brasileira: Chico Science e Cazuza.

Chico Science morreu depois, mas sua importância foi enorme, porque fez a fusão do *rock* com os trópicos, do mangue e do Nordeste. Era um gênio. Cazuza era a loucura carioca, um Rimbaud de Ipanema. No filme, é genialmente interpretado por um clone, Daniel de Oliveira. Um ator tão excepcional que chega a dar aflição, como se fosse a ressurreição do ídolo morto.

O filme é bem feitíssimo, como um grande clipe emocionante. O que dá para ver nas entrelinhas, ou melhor, nos cantos das imagens, é o Rio de Janeiro dos anos 1980. O Rio já tinha um desbunde desesperado, um desbunde diferente do de outras décadas, como a de 1960 ou de 1970. Nos anos 1980, havia uma liberdade torta, sem rumo, sem ideologias claras, o que fez Cazuza cantar: "Meus heróis morreram de overdose./ Meus inimigos estão no poder./ Ideologia,/ eu quero uma pra viver".

Pois é, Cazuza, continuamos sem novas ideologias claras. As que tínhamos, morreram. E nada de nascer outra.

22-6-2004

A PROFECIA NACIONAL

Em 1967, o Cinema Novo produziu um filme profético: *Terra em transe*, de Glauber Rocha. Esse filme fez crítica a todos os erros cometidos pela velha esquerda no país, desde 1935 até 1964, e mostrou a loucura dos tempos de João Goulart, o despreparo para a tomada do poder. Foi também profético no que ia nos acontecer e no que está efetivamente acontecendo na política do Brasil.

Terra em transe mostra um país que ainda não havia aparecido na tela nem havia surgido na cabeça de muitos intelectuais. Glauber evidenciou o lado arcaico, vicioso, boçal do país, muito além, ou muito aquém, das velhas categorias de ricos contra pobres, de luta de classes, de imperialismo americano. Tudo isso existe, claro, mas Glauber nos avisou, há quarenta anos, que o perigo maior estava na doença mental que a colonização portuguesa nos legou. Está nas práticas do clientelismo, do populismo fácil, da corrupção, da burocracia e da tutela das oligarquias sobre a população desinformada.

Terra em transe tem seu momento máximo quando um líder sindical ignorante discursa sobre suas ideias políticas, dizendo quais são os remédios para o Brasil. Diz tanta bobagem que tem a boca tampada pelo herói revolucionário do filme, que olha para a plateia e fala: "Este homem é um ignorante, um incompetente. Já imaginaram este cara no poder?". Pois é, não deu outra. Hoje, estamos vendo o perigo que nos ronda, com o crescimento do populismo televisivo do Lula, que virou um animador de auditório.

Terra em transe é tão importante que provocou o surgimento do teatro mais radical de Zé Celso, com a peça *O rei da vela [de Oswald de Andrade]*, do pensamento político e até do movimento musical Tropicália, com Caetano e Gil. *Terra em transe* é uma aula de Brasil. Temos que assistir a esse filme para saber quem somos nós.

11-4-2006

E
A LIBERDADE?

O filme *Zuzu Angel* é um retrato de nosso passado recente. Mostra o pesadelo que vivemos até 1985, durante a ditadura militar. Zuzu Angel era uma costureira de modas finas que tinha um filho, Stuart Angel. Stuart era um rapaz corajosíssimo, que lutava contra a ditadura e liderava um grupo de guerrilheiros urbanos. Era procurado pelo DOPS *[Departamento de Ordem Política e Social]* e por todo o aparato repressivo – escondeu-se na casa de uma amiga. Fiquei seu amigo. Eu não acreditava na luta armada, achava um sonho idealista, suicídio de jovens mal armados que pensavam em vencer o Exército. Um delírio quase, mas um delírio de patriotas e heróis.

Um dia, disse a Stuart: "Você não tem medo de ser preso e torturado?". Ele respondeu: "Medo eu tenho, mas preciso ir em frente". E eu: "Mas, se for preso, aguentará a barra?". E ele: "Se for preso, não digo nem meu nome". E não disse.

Stuart foi preso meses depois de nossa conversa e se recusou a dar qualquer informação sobre companheiros de luta. Foi torturado como poucos durante a ditadura. Como morreu? Dentro da Base Aérea do Galeão. Foi arrastado por um jipe, com a cabeça amarrada junto ao cano de descarga, inalando gás carbônico na frente de soldados e oficiais. A morte desse herói foi uma das piores violências da ditadura.

Zuzu Angel, sua mãe, acabou se tornando também uma heroína. Tentou, durante muito tempo, recuperar o corpo do filho assassinado e não conseguiu.

Aos poucos, começou a ser ameaçada de morte por causa da onda de protestos que teve a coragem de insuflar junto à opinião pública. Um dia, ela também foi assassinada – seu carro foi jogado em um abismo, no Rio de Janeiro, perto de onde é hoje o túnel Zuzu Angel, batizado assim em sua homenagem.

O longa, de Sérgio Rezende, serve para que os mais jovens saibam o que foi o Brasil trinta anos atrás. Não dá para acreditar que tenhamos passado por esses horrores. E, na hora em que vivemos cercados de sanguessugas e mensalões, em que a democracia corre o risco de se desgastar, roída por ratos e vagabundos, malucos e ladrões, esse filme é fundamental para que vejamos como é terrível a falta de liberdade.

3-8-2006

A DOR E O AFETO

O filme *O ano em que meus pais saíram de férias*, dirigido por Cao Hamburger, é sobre o Brasil. O Brasil que existe dentro de nossas cabeças, que mistura violência com delicadeza. A história se passa nos anos 1970, durante o pior período da ditadura militar. Um casal de militantes de esquerda foge da polícia e da repressão e deixa o filho de dez anos com o avô em um bairro habitado por judeus pobres, no Bom Retiro, em São Paulo.

Como se fosse um Moisés, achado em uma cestinha, o menino é protegido pela comunidade judaica nas semanas das finais da Copa do Mundo de 1970, quando o Brasil ganha o tricampeonato. O menino espera a volta dos pais enquanto vê os jogos, enquanto a repressão continua nas ruas de São Paulo. São gols, foguetes, medo da polícia, lágrimas de saudade. Esses são os três mundos do filme: a ditadura, o judaísmo e a Copa.

O longa traça um quadro emocionante da possibilidade de coexistir a dor brutal da realidade e o afeto da adolescência. A ditadura se torna mais terrível porque a repressão é vista nas portas dos acontecimentos, como um monstro, um alienígena que pode atacar a qualquer momento.

O filme é importante de ser visto principalmente pelos jovens, que não têm ideia do horror que reinava entre nós havia trinta anos. É importante para os mais moços entenderem a profunda benção que é a democracia, reconquistada em 1985, depois de muito sofrimento. Só entendemos a liberdade quando a perdemos. Espero que não tenhamos que perdê-la de novo para valorizá-la.

3-11-2006

UM PAÍS SEM ENREDO

Fui ver o *Tropa de elite* como quem vai cometer um crime. Fui para me purificar, mergulhar em um poço que imaginava tenebroso. Estava ansioso para fazer uma *trip* criminal contra minha antiga e cultivada bondade. Tinha certo tesão de ser mau, querendo gozar com a violência. Não com a violência estética de lixos fascistas como aquele filme *300*, com cabeças e braços voando em câmera lenta, nem com Chuck Norris *[ator americano, lutador de caratê]* e outros assassinos americanos. Não estava querendo ver os balés de corpos massacrados do cinema de Hollywood com o prazer da morte, estes, sim, filmes fascistas. Nós todos fomos assistir à *Tropa de elite* para sentir o prazer da vingança.

O filme é mais do que um filme – é uma experiência. Ninguém foi apenas vê-lo: fomos senti-lo, vivê-lo na sala.

A importância não está na narrativa, não está no que o longa concluiria ou nos ensinaria. A importância é que *Tropa de elite* nos transformou em personagens. As milhares de cópias piratas, as plateias sideradas, mostram que somos os personagens de um país sem enredo, famintos de que alguma forma de justiça se faça aqui, de que não haja apenas aquela polícia podre de oficiais pegando jabá no bicho, de que haja heróis incorruptíveis e machos vingadores de nossa insegurança.

As multidões foram ver o filme porque querem

que seja uma espécie de resposta. Não interessa se é um filme ruim ou bom. O que conta é a fome de solução que desperta nas pessoas. E exibe nossa impotência diante do crime e da desordem republicana, nossa dolorosa decadência provocada pela política imunda que banaliza este país.

8-10-2007

FILME CATARSE

O sucesso de *Tropa de elite* não se deve a razões artísticas ou dramáticas. Ninguém vai se deleitar com sangue ou balés de brutalidade, como os sórdidos filmes americanos costumam encenar. O sucesso de *Tropa de elite* se deve ao prazer, ao desejo profundo de alguém fazer algo contra a violência.

Prefiro o filme anterior de José Padilha, *Ônibus 174*, obra-prima que leva à reflexão sobre a complexidade política, policial, social e administrativa da miserável realidade do Brasil. *Ônibus 174* é um tratado. *Tropa de elite* não leva a nenhuma reflexão, mas leva a uma catarse. Explico o que é: no teatro grego, os crimes mostrados nas tragédias tinham como finalidade a integração do indivíduo na *polis*, na vida da cidade. Era a chamada purificação, a catarse.

Com Wagner Moura, o espectador tem a impressão de que algo funciona para sua proteção. Ninguém tem esse papo intelectual de que o filme é fascista ou não, porque ninguém sabe o que é isso. A doença principal do Brasil é a inércia, é a ausência de providências, de atitude. Um filme como *Tropa de elite* nos dá a sensação, talvez ilusória, de que, no país, ainda existe uma atitude. Por isso seu sucesso.

7-11-2007

DIA A DIA

O cotidiano de nosso país e do mundo é feito de "acontecimentos que não acontecem", de ideias que não correspondem mais aos fatos e da ignorância do homem comum sobre os avanços da tecnociência – avanços que não conseguimos compreender. Nosso cotidiano é feito de mistérios e de sustos. A sociedade não controla mais nada. As "coisas" têm vida própria.

Antigamente, tínhamos passado, presente e futuro, como três lugares diferentes. Como escreveu Paul Valéry, nossa grande perda foi o passado e "o futuro não será mais o que era". Vivemos um enorme presente que nos obriga a correr atrás de nós mesmos.

MENINOS
MALABARISTAS

Quem não se deparou ainda com meninos que picham muros no Rio e em São Paulo e nos transformam em cidades de lixo, abismos imundos, que agridem os olhos de todo mundo? Nenhum prefeito liga para isso. Pensam "danem-se", porque têm problemas piores para resolver e não podem se preocupar com essas "besteiras".

Não se dão conta de que as grandes coisas são feitas de pequenos gestos. Enquanto as grandes coisas não vêm, que tal cuidar do que é possível? Por exemplo, as autoridades proibiram a venda de tíner para crianças que cheiravam cola, produto que ficou caro. Foi muito boa a iniciativa, mas é rara.

E quem já não reparou nos meninos mendigos cariocas? Uma legião de menininhos que se esforçam para jogar três bolinhas de tênis diante dos carros parados. São pobres malabaristas, pequenininhos do tamanho de nossos filhos, às vezes de cara pintada, jogando bolinhas para o ar em troca de uns tostões que não são dados quase nunca. É de cortar o coração. Mas nós, homens modernos, temos que endurecer a nossa pele, a nossa sensibilidade, para não sofrer com essas visões do dia a dia. Mas elas estão ali, bem à nossa frente. E talvez só vejamos essa tragédia quando os pequenos malabaristas se tornarem, um dia, assaltantes. Aí gritaremos: "Que horror!". Por enquanto, não fazemos nada para salvar essas crianças.

Por que os prefeitos não tomam uma atitude? Por que não tentam modernas formas de abrigo, pelo menos durante o dia? Por que não dão comida, oferecem aulas, diversão, jogos? Algo semelhante aos Cieps *[Centros Integrados de Educação Pública]* que Brizola *[Leonel]* fez no Rio, uma das mais belas iniciativas tomadas por um político. Por quê?

Os candidatos à prefeitura, em vez de olharem apenas para os índices dos ibopes durante as eleições, quando um esculacha o outro e faz equilibrismo de frases e gestos demagógicos, deveriam olhar para esses meninos que equilibram bolas. Porque o Brasil está assim... No ar. Sendo mantido em funcionamento pelas mãos dos mais pobres. Um dia, as bolas caem e o país também.

25-9-2002

LIVROS ERÓTICOS "LIVRAM" DO CELIBATO

A toda hora são publicadas nos jornais denúncias de pedofilia. Houve muita grita contra padres católicos aqui e no exterior, principalmente nos Estados Unidos, que atacaram sexualmente crianças. Tapou-se o escândalo, o Vaticano desconversou. Mas a verdade é que o celibato obrigatório de padres católicos – a castidade prometida – cria problemas. O sujeito fica ali, trancado na clausura, rezando anos a fio, e começa a enlouquecer sexualmente, gerando traumas terríveis.

No Brasil, surgiu um novo tipo de sexo dentro da castidade. O padre baiano Edmilson Ribeiro, à frente de uma paróquia em Natal, livrou-se do problema com uma ideia genial. Sublimou a sexualidade escrevendo livros de sacanagem. Eles contam a história da professora de latim tarada por padres, que os obriga a transar sob a mira de um revólver; a do traficante que seduz e mata a própria irmã; a do viúvo que transa com uma adolescente e morre no dia do casamento; a da menina que se prostitui para criar o filho.

Padre Edmilson diz que causa desconforto entre o clero, que bispos reclamam e querem enquadrá-lo. Mas os fiéis não estão preocupados com os livros. Que vendem pouco, é verdade, embora a igreja viva cheia, com cerca de 4 mil devotos em suas missas.

O celibato é uma prova dura de roer. Uma loucura ultrapassada que a Igreja deveria abolir um dia, mas ao menos em Natal está criando literatura. Pois, como se diz, o escritor só é grande se sofrer, nem que seja de castidade. É bem melhor ler sacanagem nos livros do que assistir a um crime pela tevê: milhares de fiéis são enganados diariamente por mentirosos impunes. Nada contra evangélicos honestos. Nada contra religião decente. Mas existe muito profeta que fala em Jesus e pensa somente em Miami. Ligue a tevê e veja quantos criminosos soltos discursam sobre Deus.

7-11-2002

O SERTANEJO É HERÓI

Hoje são comemorados os cem anos do mais importante livro escrito neste país, *Os sertões*, de Euclides da Cunha. Trata-se da revolta dos miseráveis beatos que, no fim do século XIX, criaram em Canudos uma cidade feita de taipa e habitada por milhares de fiéis que obedeciam às ordens de Antônio Conselheiro – a promessa era dar terras feitas de biscoito e mel e fazer rios de leite correr pela caatinga.

A importância do livro de Euclides da Cunha reside, para além da maravilhosa linguagem – do espantoso estilo barroco e épico – no fato de que pela primeira vez se mostrou o homem do sertão – o miserável, o analfabeto – como herói de um momento histórico. O homem faminto e pobre estava do lado da razão, de uma causa justa, mesmo que tivesse sido motivada por fanatismo religioso.

Diante da revolta, da experiência de guerra, Euclides percebeu que aqueles pobres-diabos estavam, sem querer, desmascarando a República que nascia sob o *slogan* do positivismo, do progresso e da ordem, quando, na verdade, tinha uma face autoritária, brutal e elitista e massacrava milhares de homens, mulheres e crianças. Os sertanejos desmoralizaram vários batalhões, que foram sucessivamente destruídos por eles. Até que o Exército da República acabou vencendo e terminou diante dos últimos resistentes: dois homens fracos, uma mulher e uma criança.

Os sertões é a nossa *Ilíada*, a cara do povo do Brasil. Que o exemplo desse livro fique em nossa memória – o heroísmo do sertanejo. Hoje, o sertanejo, o excluído, ficará mais forte se não acreditar demais em messias e enviados de Deus. Lula é uma grande esperança e cabe a ele ensinar ao povo que não é um Antônio Conselheiro, mas um político moderno e prático que quer acabar com a miséria sem milagres.

2-12-2002

HO-HO-HO

Estamos no Natal de nossa transição política. Como se dizia antigamente: "Natal, Natal, bimbalham os sinos!". Ontem comemos peru, avelãs e castanhas, tudo o que engorda, tudo o que é impróprio para o verão, porque Natal no Brasil é uma festa importada, uma festa de inverno. Já houve um período de nacionalismo maluco, creio que em 1938, durante o Estado Novo de Getúlio, em que fizeram campanha para acabar com o papai-noel importado, já que ele seria uma manobra dos americanos para nos dominar.

Na Rádio Nacional, inventaram que o papai-noel deveria ser substituído por outro bom velhinho, mais tupiniquim – ganhou o nome de vovô Índio. Com pena na cabeça, seminu por causa do calor, e um saco cheio de presentes folclóricos nas costas, iria falar: quá-quá-quá em vez de *ho-ho-ho*. Claro que a ideia foi um fracasso total. Imagine um índio gordo, sem barba, nu, entrando pela chaminé – seria abatido a tiros por pais de família. E as crianças iriam odiá-lo, porque, na época, os filmes americanos já mostravam os índios como criminosos que eram exterminados pela gloriosa cavalaria americana.

Estamos no Natal. E, mesmo com americanismos na neve tropical, é um dia de raro desejo de amor. Todo mundo tem vontade de chorar, sente-se meio culpado de ser mau amigo, mau pai, mau filho. Todo mundo pensa em dar presentes para ser amado também. Cria-se uma rede de culpas e reparações a que chamamos de solidariedade, amor e espírito natalino.

Neste Natal, estamos comemorando o início de uma nova fase, que a campanha do Lula apelidou de "paz e amor". Lulinha é um papai-noel que pode nos trazer muitas alegrias, caso não queira promover profundas mudanças, como nos tempos do vovô Índio. Porque, apesar de tudo, dependemos culturalmente do papai-noel importado. Que Lula nos dê bons presentes. *Ho-ho-ho*.

25-12-2002

TRABALHADOR COMO CAPITAL

Hoje é o Dia do Trabalho e, por isso, pernas para o ar que ninguém é de ferro. Em um país em que quase todo dia é feriado, hoje é um dos feriados mais justos. Porque o trabalhador brasileiro, além de sacrificado e mal pago, é usado como capital, e não como mão de obra. Explico: quanta gente vive às custas do trabalhador, além dos patrões? O trabalhador já foi muito usado como símbolo, como pretexto para demagogia. Já foi mitificado, tanto pelo comunismo como pelo fascismo. O trabalhador virava estátua ou com a foice e o martelo de Stalin na mão ou com espigas de milho e bandeiras negras de Mussolini na outra. As ideologias totalitárias santificaram os trabalhadores, mas não hesitaram em mandá-los para a guerra em que morreram 20 milhões, como na antiga União Soviética, ou tantos outros na Revolução Cultural da China ou nos extermínios totalitários, como no nazismo.

No caso brasileiro, no getulismo, muita coisa boa foi feita para dar dignidade ao trabalho, mas sempre sob a vigilância do Estado, com leis que protegiam e controlavam tudo, inspiradas no código mussolínico italiano. O trabalhador, como protegido do Estado, gerou vícios, inchaços, e tirou dele muito de sua iniciativa criadora e de sua autodefesa. Foi quando surgiu Lula, nos anos 1970.

O Partido dos Trabalhadores foi a maior novidade que a velha esquerda teve que entender. Lula criou uma novidade justamente por se recusar a santificar os trabalhadores. Ele era um deles. O PT foi criado por um trabalhador e não veio de cima para baixo, como o PTB. Claro que os comunas de plantão vieram correndo para cooptar o Lula, que não queria saber deles. Os sindicalistas de Lula negociavam diretamente com os patrões, criando uma política trabalhista de resultados, e isso foi novo.

A grande vitória do governo atual, do PT, será justamente se o Lula conseguir barrar os sabotadores, os velhos radicais ignorantes, os malucos revolucionários e os demagogos que querem impedir as reformas. São exatamente as reformas, como a da Previdência, que permitirão o aumento do salário mínimo, das aposentadorias dignas para todos, e não só para os marajás do Judiciário, do Legislativo e do Executivo.

O trabalhador visto como um homem comum, respeitado, é muito mais importante para o Brasil do que o trabalhador visto como um santo passando fome. Por isso, viva o Primeiro de Maio. Que seja uma nova visão do trabalhismo.

1-5-2003

MACACO NÃO MENTE

Cientistas americanos descobriram que chimpanzés têm 99,9% dos genes humanos. Assim, acham que não são nossos primos, mas nossos irmãos. E querem mudar a classificação da espécie e uni-la à humana. Chimpanzés e nós seríamos da mesma turma, os *Homos*. Mas não acho que somos próximos dos macacos. Sempre nos consideramos do alto da criação, como anjos decaídos, como animais racionais, e, abaixo de nós, a tigrada, a macacada toda. Não é o que pensa um filósofo como Nietzsche, que considera o pensamento e a linguagem apenas mecanismos de defesa, como o veneno da cobra ou o cheiro do gambá.

O psicanalista Lacan nos considera com defeito de fábrica, com um buraco entre nós e a natureza que tentamos preencher falando. Mas, mesmo sem papo cabeça, macaco mata sem motivo? Macaco se acha superior a nós? Macaco até mete a mão na cumbuca, mas não rouba dinheiro público. Macaco não mente, não passa cheque sem fundo, não inventa deuses e, pelo que se sabe, ainda não há macacos bomba, nem macacos com orçamento militar de 500 bilhões de dólares falando em democracia.

Macaco rouba filhote de homem para vender, como fazemos com filhotes de chimpanzés? Fazer um *upgrade* de macaco não adianta nada para impedir sua extinção como espécie. Macacos são bichos felizes, sem neuroses. Não podemos nos comparar a eles. Seria uma ofensa aos macacos. Se eles falassem, diriam: "Humano não, hein. Humano é sua mãe!".

23-5-2003

AS GAZELAS INATINGÍVEIS

Esta é a semana da beleza em São Paulo e, depois, no Rio. Trata-se da semana de moda, *Fashion Week*. Esses desfiles são, hoje, os desfiles da utopia moderna. O mundo é ruim, a moda é bela. A vida é dura, a moda é o ideal de sucesso impossível para todos nós. As manequins são fonte de um mercado de bilhões de dólares. Em torno delas giram indústrias e comércios infinitos, com produtos que vão de cosméticos a celulares, automóveis, remédios, o diabo a quatro.

As manequins mudaram com o tempo. Já foram oferecidas, já fizeram beicinho, já foram chiques e distantes, mas hoje são gazelas inatingíveis, "cavalas" de pernas longas marchando como soldados diante de nossa solidão de gente comum. Gisele Bündchen, por exemplo, parece dizer: “Minha beleza é solitária, não preciso ser possuída por ninguém, sou amante de mim mesma”. O amor e o sexo estragariam sua perfeição.

Para a manequim moderna, não há o outro. Não existe o outro, só ela – faminta, magra e sem amor. Ao contrário da mulher das revistas de sacanagem, que é mulher para homem, a manequim é mulher para mulher. Aspira à independência inatingível, à espécie de feminismo imaginário e poético.

Ninguém veste essas roupas que elas desfilam, nem precisa. Elas são raros símbolos de felicidade de um mundo em crise. A verdadeira Gisele Bündchen não quer existir. Quer ser fruto de nossa imaginação.

2-7-2003

PARECE NOME JAPONÊS, MAS NÃO É

Você gosta de cupuaçu? E sabe o que é cupuaçu? Há anos tomo sorvete de cupuaçu, como bombom de cupuaçu, que é das coisas mais gostosas do mundo, porque tem sabor vagamente amargo e doce. O gosto da felicidade, que nunca é totalmente doce. Gostou da filosofia? Frescuras à parte, cada vez que comia um bombom desses, pensava: "Será que ninguém sacou que essa fruta é uma das coisas mais refinadas ao paladar? Será que ninguém vai fazer mais produtos de cupuaçu para vender aqui dentro ou exportar, além dos bombonzinhos artesanais que já são vendidos?".

Não sei se existe alguém produzindo coisas de cupuaçu industrialmente, acho que seria um sucesso internacional. Estou falando de frutinhas e sabe por quê? Os japoneses registraram o cupuaçu. A nossa fruta foi patenteada por um bando de japoneses da Assai Foods para produzir o que chamam de *cupolate*, chocolate de cupuaçu. Outra empresa, a espertíssima Body Shop, que vende mil itens retirados da Amazônia, já tinha registrado o cupuaçu como cosmético, mas, graças a Deus, uma ONG impediu isso e a marca teve que tirar o nome da lista de produtos.

Há muito estrangeiro querendo vender com exclusividade nossas frutas, nossas castanhas, nossos bichos. Tudo o que os otários brasileiros não sabem defender nem explorar de forma sustentável, deixando para os gringos a patente de nossas riquezas naturais. Tudo bem que os japoneses queiram industrializar uma fruta, mas daí a patentear o nome?

Cupuaçu parece até nome japonês, mas não é, é do Pará. Parece que a Secretaria Executiva de Indústria, Comércio e Mineração do Pará está tomando providências na Justiça. Mas isso poderia ter sido evitado se houvesse consciência do perigo que nossas riquezas correm diante da voracidade internacional.

A Assai Foods – *Assai* quer dizer Japão – pode ter a ideia também de patentear o açaí, outra frutinha do Pará. Acabarão tirando tudo de nós, já que os Estados Unidos inventaram essas leis de patentes para se apoderar do mundo, da biodiversidade. Podem pedir a patente do jacaré, da ararinha-azul, do mico-leão-dourado, do coco. Levem tudo embora, porque vamos patentear a burrice. Ela é um produto genuinamente nacional. Paraenses, defendam o cupuaçu, porque o cupuaçu é nosso.

12-8-2003

O CORPO
É MERCADORIA

Um grupo de ladrões invadiu um hospital para roubar *botox*. O remédio que estica caras e rugas de peruas e perus. Enquanto isso, continuam sendo vendidos órgãos de pobres para ricos. Como todo mundo quer consertar caras e bocas infladas como as de Angelina Jolie, o corpo humano está virando mercadoria. São próteses sexuais, peitos com silicone... Ninguém suporta mais a decadência, a perda do desempenho. O nosso ideal agora é funcionarmos tão bem quanto as coisas. As mulheres querem ser turbinadas como aviões, querem ter peitos enormes, rebolar como liquidificadores; os homens querem ser metralhadoras sexuais, pênis Fórmula 1. Todos rindo muito, porque ficar triste não é mais comercial.

Com o aumento da demanda por plásticas, em um país pobre e incompetente, isso é um grande lucro para picaretas e charlatães. Por isso vemos tantas cirurgias plásticas dando chabu: caras tortas, peitos que caem, bundas que explodem, sem falar no mercado dos miseráveis que disputam o direito de vender seus rins em liquidação – "Rins novinhos! Compre hoje e pague em três vezes".

Quem terá feito a terrível invasão no hospital para roubar *botox*, o veneno do botulismo que virou remédio, para criar caras de pau em um país que está cheio delas, principalmente em Brasília? Terá sido uma ação terrorista das MAPF – Milícias Armadas das Peruas Feias? Ou foi o grupo dissidente FLMB – Frente de Libertação das Mocreias Brasileiras? O século XXI começou mal. Trava-se uma guerra santa misturada com chanchada erótica.

17-12-2003

O SEGREDO
É A SORTE

Depois de vinte anos de observação, entrevistas e gravação em vídeo do dia a dia de casais, alguns psicólogos americanos chegaram a uma fórmula matemática para analisar se um casamento vai dar certo ou não. Mas será que existe mesmo essa fórmula mágica, essa equação do amor?

Antigamente, os casamentos duravam mais porque eram minissociedades, com o pai-patrão, a mãe-sacrifício, os filhinhos-oprimidos e a manutenção da propriedade. Hoje, o casamento tem suas funções sociais muito diminuídas. Serve como o coroamento de uma paixão e é o sonho de uma união que nos protege da solidão, da morte e da liberdade, porque liberdade dá angústia – ninguém quer liberdade.

O casamento está mais frágil hoje. O amor eufórico não dura para sempre, e a oferta sexual da vida moderna é total. As celebridades se casam e se separam em três edições de revista. E os casais infelizes não se separam – em geral por medo, falta de grana ou preguiça.

Há também equações matemáticas para prever as causas das separações. Por exemplo, existe a variável chatura, tudo igual sempre. Há a variável SD, sexo descendente. Há a equação HSV, homem sem-vergonha que não para em casa. E o efeito Ricardão, que entra e destrói os lares, conquistando esposas indefesas e deixando maridos com dor de cabeça, dando chifradas em todas as direções. Mas quem está certo mesmo é Woody Allen *[cineasta norte-americano]*, que disse que o segredo do bom casamento é sorte. Só isso, sorte.

17-2-2004

FLORESTA DE AGULHAS CERCADA POR UM DESERTO

São Paulo está precisando se benzer depois de completar 450 anos. Esse aniversário, durante o qual morreram pessoas afogadas no meio da rua e barrancos e favelas caíram, mostra que a cidade – orgulho nos anos 1950 e 1960, quando achávamos que era a locomotiva do país – está virando uma locomotiva quebrada. São Paulo era o progresso que não podia parar. Quando olhávamos os arranha-céus e o ritmo da cidade, achávamos que São Paulo ia nos salvar: salvar o Brasil, lugar de atraso e miséria. Hoje, vemos que o erro também estava ali. Oculto dentro da cidade.

O progresso a qualquer custo pode ser um veneno, e não um remédio. A civilização do progresso paulista e do capitalismo sem regras que vicejou aqui, com clímax nos anos 1970, esse capitalismo selvagem, criou a floresta de agulhas, o caos urbano, a charada humana que se engarrafa na cidade mais poluída do mundo, junto com a Cidade do México. Esse capitalismo criou também um cinturão de horror que envolve a cidade, o negro cinturão de escravos mal pagos que vêm todo dia trabalhar ou então assaltar.

São Paulo é um dos maiores problemas do país, e vamos empurrando esse enigma com a barriga porque ninguém sabe o que fazer para atacar a tragédia urbana. Um técnico em meteorologia já explicou que as enchentes que matam periodicamente, como um oceano de lama, não melhoraram em nada o nível das represas que abastecem a cidade, porque não atingiram as cabeceiras dos rios e dos mananciais. Por quê? Foi azar, foi Deus querendo que acabasse essa Sodoma financeira? Não, a culpa é dos homens, que, durante o século passado, não tiveram um segundo de raciocínio urbanístico ou humano. As represas estão vazias porque o corpo da cidade – todo asfaltado e pavimentado, os milhares de arranha-céus que criam a grande muralha da cidade – provoca uma zona de calor que afasta as chuvas dos mananciais. Assim, vemos que a cidade criou um deserto à sua volta.

A cidade está sendo punida por ela mesma. Talvez morrerá de sede, afogada em enchentes de chuvas que tinham que cair fora dela. Talvez seja o caso de emigrarmos para a periferia. E transformarmos a cidade em um piscinão para nos bombear água para fora. Talvez fôssemos mais felizes.

19-2-2004

UMA SOCIEDADE DANÇANTE

Antigamente, a rádio chamava o carnaval de "tríduo momesco". As marchinhas começavam a ser tocadas logo em dezembro. E o carnaval tinha uma delicadeza que ficou meio antiga hoje. Porque parece uma calamidade pública disputada por celebridades que se despem para aparecer na tevê. Deixou de ser vivido para ser olhado. Há uma verdade nisso. Mas no carnaval há também nosso destino, não podemos negar. Os brasileiros podem não ter muita consciência social, mas têm o inconsciente à flor da pele. Temos uma loucura livre e solta, que não existe em países chamados "sérios", que pagam um preço alto por essa racionalidade, essa organização. Eles têm uma felicidade careta, triste. Carnaval, não.

Carnaval, no Brasil, é liberdade e volúpia. Há uma grande pureza nessa explosão de carne nua, como se quiséssemos voltar para uma grande tribo de índios ou de mulatos livres. O carnaval mostra que temos o desejo de sonhar com outro país. Um país sem autoritarismos, sem a tragédia da pobreza, uma sociedade justa mas dançante.

Esse grande culto ao prazer vai nos salvar neste mundo, que cada vez mais parte para a repressão e a paranoia. Nosso futuro tem que ser um belo carnaval organizado, alegre e justo.

23-2-2004

CENTENAS DE ESCRAVOS

A luta contra a escravidão no Brasil continua. As siderúrgicas do Maranhão e do Pará celebraram um compromisso para acabar com os escravos na produção do ferro. Os escravos são destruídos na queima do carvão vegetal, e destroem a natureza ao mesmo tempo. A praga pior é em Minas Gerais, estado que não se solidarizou com outras siderúrgicas do Norte – e Minas corresponde a 60% da produção de ferro.

O Ministério do Trabalho, muitas ONGs e a Pastoral da Terra elaboraram parâmetros para julgar o que é trabalhão escravo. Trabalho escravo é: insalubridade no local; alojamentos desumanos; remuneração nula ou quase nula; carga horária de trabalho que nem mesmo mulas aguentariam; ausência de direitos trabalhistas; privação de liberdade; alimentação pra lá de precária; e humilhação.

Sendo assim, há no Brasil muito mais escravos do que carvoeiros. Se você ganha muito mal, trabalha demais, não tem direitos trabalhistas e seu "trampo" é feito em locais imundos e doentios, você é um escravo, meu irmão. Sem contar os desempregados. E não temos nem Lei do Ventre Livre nem dos Sexagenários ainda. O negócio é rezar para a princesa Isabel baixar aí em um terreiro e assinar de novo a Lei Áurea. Mas pode ser que o Congresso não aprove, porque existe muito político com senzala em suas fazendas.

17-8-2004

PROVA DO FRACASSO SOCIAL

O massacre dos pobres mendigos de São Paulo continua. Todo mundo se indigna em busca do criminoso ou dos criminosos. Mas como saber quem foi que agrediu se os mendigos são tradicionalmente vítimas da irracionalidade?

Há muitos suspeitos na cidade de São Paulo. Porque o mendigo incomoda muita gente. Incomoda os trabalhadores, que têm medo de decair como ele na beira da calçada; irrita os intolerantes, os egoístas e a elite de bom gosto, porque estraga a paisagem; enerva os miseráveis, já que um miserável vê no outro o espelho de sua própria tragédia.

A violência está virando um desejo muito forte. Vemos mortes aqui e lá fora o dia todo no noticiário. Em uma cidade como São Paulo, onde se vive acuado pelo crime e pelo medo, vai se criando fome de matar, fome de vingança, que acaba se virando contra os mais fracos. O mendigo provoca ódio nos violentos, que matam nele a própria miséria interna.

A mensagem é: "Estou matando nele a miséria da minha vida". E nós, homens de bem, morremos de pena, claro: "Coitados dos mendigos". Mas, quando estão vivos e nós passamos por eles, desviamos o olhar, não é? Gostaríamos que não existissem, porque os mendigos são a prova do nosso fracasso social.

24-8-2004

ENTRE A VIDA E A MORTE

O noticiário anda oscilando entre a vida e a morte. Nos Estados Unidos, Terri Schiavo *[americana que viveu por quinze anos em estado vegetativo]* está morrendo *[morreu depois de praticada a eutanásia]*. Em Roma, o papa *[João Paulo II]* está morrendo. Em São José dos Campos, padres resolveram ser contra a pílula do dia seguinte, da mesma forma que toda a Igreja também é.

É muito difícil definir quando a vida começa e quando acaba. Os cristãos entregam esses momentos ao acaso ou a Deus. Padres de São José dos Campos são contra a pílula do dia seguinte porque dizem: "Ah, quando o óvulo se une ao espermatozoide, a vida já começou". Mas, se o espermatozoide é uma célula viva e o óvulo também, seria então a menstruação um assassinato ou a ejaculação espontânea um genocídio?

Em nome desse detalhe, a Igreja é contra a camisinha para combater a AIDS, contra a pílula, contra as células-tronco, contra o aborto de fetos malformados. O mesmo se dá com a morte. Em nome da piedade, estamos vendo a pobre Terri morrer de inanição porque seria um crime induzi-la ao sono eterno. Isso é o que se chama bondade cruel.

O papa também está entre a vida e a morte. Sua eutanásia seria a renúncia, mas o papa não vai renunciar. Ele é infalível e vai se esvair até o fim. Seu rosto desesperado nos jornais parece até um aviso do juízo final. O estranho é que os cristãos que choram por Terri e o papa são insensíveis aos soldados que morrem aos milhares no Iraque. É estranha essa dualidade. De um lado, a ternura com o fino fio da vida e da morte. De outro, a violência bruta em nome da paz e da democracia.

31-3-2005

QUEM SÃO AS ELITES?

Lula só fala em elites. Que as elites querem derrubá-lo, que as elites são assim, que as elites são assadas. Mas, afinal de contas, quem são as elites? Será elite o vice-presidente José Alencar, que tem fábricas que lucram bilhões? Será que a Daslu quer derrubar o Lula? Será elite o Marcos Valério, que canalizou milhões de reais para o PT com o dinheiro do povo, o dinheiro das estatais? Serão elites os homens que andam com 100 mil dólares na cueca? A oposição não é, porque a oposição protege o Lula, já que, se ele cair, será pior ainda. Então as elites devem ser as elites do PT: Dirceu, Genoino, Delúbio, Silvinho com seu Land Rover *[carro que ganhou de presente do proprietário da empresa GDK e que foi o desencadeador para a expulsão de Silvinho do partido]*, porque fizeram tudo errado para derrubar o Lula.

É assustadora a quantidade de trapalhadas cometidas pelo próprio governo do PT em dois anos. A verdade é que não tiveram competência para governar. O único acerto do Lula foi ter herdado do governo anterior a política econômica de Palocci, que foi Deus quem nos enviou. O restante é uma chanchada revolucionária, uma rede de corrupção política para criar um poder mexicano no Brasil. Sabem para quê? Para o Zé Dirceu se eleger presidente da República em 2010.

Lula xinga as elites imaginárias, apela para pelegos sindicais e para o pobre do povo que não pôde estudar e não entende de política. Depois da vergonha dos bolchevistas, começou o populismo. O Brasil está vivendo entre dois vexames: soviéticos ignorantes no início do governo e chavistas oportunistas em breve.

27-7-2005

A REGRA E A EXCEÇÃO

O sermão do padre Antônio Vieira, que tratava do Brasil em 1655, pode nos ensinar muito. Dizia ele: "O ladrão que furta para comer não vai para o inferno. Os que vão são outros ladrões, de maior calibre e de mais alta esfera. Não são apenas ladrões os que cortam bolsas ou espreitam os que vão se banhar para lhes colher a roupa. Os ladrões que mais dignamente merecem esse título são aqueles a quem os reis encomendam os exércitos, ou o governo das províncias, ou a administração das cidades, os quais, com manha ou força, roubam e despojam os povos. Os outros ladrões roubam um homem, estes roubam cidades e reinos. Os outros ladrões, se furtam, são enforcados. Estes furtam e enforcam. Eles furtam em todos os tempos do verbo.

Não lhes escampam os imperfeitos, perfeitos, mais-que-perfeitos e quaisquer outros, porque furtam, furtaram, furtavam, furtariam e haveriam de furtar mais se mais houvesse".

O Brasil foi feito assim. A corrupção é uma regra, e a honestidade, uma exceção. Hoje, com a democracia, a opinião pública ligada *on-line* e a informação imediata, está mais difícil enganar o povo e a opinião pública. Pode ser que agora possamos sair do século XVII. Feliz ano de 1656.

3-1-2006

CRISTO,
OLHAI PARA ISTO

Sabemos que o Estado é visto como espécie de babá geral, ou mamãe, em que todos podem mamar. Sabemos que, no Brasil, a democracia é vista como espécie de zorra, desordem que perdoa, que permite qualquer desmando. Muito bem, quinze anos atrás foi criada a Lei Rouanet por Sérgio Rouanet, na época secretário da Cultura do governo Collor. A finalidade da lei era estimular a cultura no país ao permitir que algum perdão fiscal fosse usado para a arte. A lei teve o mérito de financiar o ressurgimento do teatro no Brasil e, principalmente, do cinema, que o próprio Collor teve o sádico prazer de destruir.

Agora, a lei está sendo disputada por todo mundo. A turminha da boca-livre está de olho nela. O esporte já conseguiu botar o pé dentro da lei. E adivinha quem quer ser subsidiado pelo governo? As igrejas evangélicas, com base em um projeto criado pelo inefável bispo e senador Marcelo Crivella, sobrinho do "papa" Edir Macedo. É extraordinário! Se bobearmos, a lei passa no Senado e financia igrejas bilionárias que vivem do entesouramento dos dízimos dos fiéis.

O espantoso é que a Constituição brasileira já exime de imposto de renda as igrejas bilionárias, com seus templos de mármore e suas tevês, aqui e no exterior. Elas não pagam impostos, permitidos por lei. A Constituição libera o culto para todos, mas nada impediria que fossem proibidos os *shows* de exorcismo e as superstições exibidos na televisão, catequizando novos contribuintes e amealhando mais dízimos. Isso poderia ser feito, mas ninguém faz. Agora, querem subsídios. É absolutamente espantoso que ninguém reclame. Onde estão os artistas, os "cultos"? Alguns já falaram, mas isso exige indignação. Como dizia meu avô: "Ó, Cristo, olhai para isto!". Olhai para os que ficam bilionários usando seu santo nome em vão.

26-4-2007

ERVA-DO-DIABO?

Houve, no Rio, uma marcha tímida pela descriminalização da maconha, seguida por pouca gente. Não que não haja milhares e milhares de maconheiros no Rio, mas a turma ficou com medo de dar bandeira. A polícia foi delicada, não interveio, e o povo foi cantando: "Sou maconheiro, com muito orgulho, com muito amor". Ou: "Ei, ei, polícia. Maconha é uma delícia". Apesar do aparente fracasso da marcha, creio que está na hora de discutir a questão com seriedade.

Como disse o secretário do Meio Ambiente do Rio de Janeiro, Carlos Minc *[hoje, ministro do governo Lula]*, "é muito cômodo dizer que a maconha é a responsável pela violência, quando quem mais perderia com a descriminalização do jererê *[um dos nomes pelos quais a maconha é chamada popularmente]* seriam os traficantes e os policiais corruptos". Maconha não produz violência – o que causa mortes brutais e doenças terríveis são cocaína, heroína e outras barras-pesadas. A maconha é proibida muito mais pelo preconceito e pela superstição do que por seus males reais. Cocaína, não: mata e faz morrer.

A maconha é vista com tanto terror que é chamada de erva-do-diabo. Mas já se sabe que a *Cannabis sativa* pode produzir potentes remédios contra o glaucoma, contra a náusea que a quimioterapia produz, contra a AIDS, além de calmantes e medicamentos contra a insônia – é matéria-prima cheia de possibilidades terapêuticas.

A caretice americana, no entanto, vê a maconha como demônio, porque tira o sujeito da consciência, da produção obsessiva, e isso é pecado máximo lá nos Estados Unidos. Não há mal maior produzido pela maconha que seja pior do que uísque, cachaça, vodca e outras bebidas permitidas. O problema é que o tráfico de drogas dá lucro justamente por ser proibido. Pior: há quem diga que, se coibirmos demais o tráfico de cocaína, de maconha e de outras drogas, os bandidos vão se dedicar a assaltos aqui no asfalto. Essa lei seca da maconha dá lucro apenas ao crime. Um dia, os caretas vão descobrir isso.

8-5-2007

TORTURA NOS AVIÕES

Estou em total concordância com um ministro do governo Lula. Nelson Jobim, da Defesa, determinado e com cara de competente, falou o óbvio, embora eu nunca tenha ouvido ninguém reclamar do assunto: o espaço entre as poltronas dos aviões. É uma tortura, porque é estreito demais. Jobim mede 1,90 m, eu também. Vivo implorando poltronas perto das portas de emergência ou nas primeiras fileiras, onde há um pouco mais de espaço. É uma vergonha. Para ter mais um lucrinho vagabundo, as companhias esmagam os altos. São aviões planejados para pigmeus.

E os gordos, como fazem? Vocês já viram a largura dos assentos? O cara tem que se espremer a viagem toda. E o gordo alto? Bem, aí é desgraça total. E ainda precisam ir ao banheiro antes de embarcar, porque naquele cubículo do avião não conseguem entrar.

Sei que este é um papo de burguês para o governo Lula, que pensa somente em quem não anda em avião burguês, com exceção dele mesmo, em seu Airbus, comprado à vista, fato que espantou até o fabricante, porque todo mundo compra por *leasing* ou em suaves prestações. A crise atual da aviação pode ser resumida no espaço entre as poltronas. É uma metáfora. É um sinal dessa vergonha mercantil que aconteceu depois de acabarem com a Varig. É claro que a Varig era uma zona administrativa, zona de corrupção interna, empresa híbrida entre o público e o privado, mas era uma tradição no Brasil. "Estrela brasileira no céu azul..." Quando a Varig acabou, poderia ter sido diferente, mas não foi. O descaso por resolver o problema indica que havia interesses políticos e grana, muita grana de propina para poderosos não deixarem a empresa morrer.

Agora, o avião é um ônibus. Manutenção vagabunda, turbinas tortas, bancos mais estreitos do que nunca. Por isso, avante, ministro Jobim. Conquiste mais espaço para nossos joelhos doloridos de tanto rezar para melhorar essa desgraça administrativa que é o Brasil dos lulopetistas. Nunca antes houve gente tão incompetente.

9-8-2007

CIÊNCIA VERSUS RELIGIÃO

O ministro Gilmar Mendes foi nomeado presidente do Supremo Tribunal Federal e prometeu retomar logo o polêmico assunto sobre as células-tronco embrionárias – ansiedade maior de milhares de doentes que podem ser beneficiados por essa evolução científica. Mas o grande obstáculo ao uso de células-tronco é o pensamento religioso. A ciência pesquisa, mas a religião tem certezas; a ciência duvida, a religião tem dogmas. E tudo é visto de forma geral: a vida, o homem, o ser.

A religião está se infiltrando na política e no progresso científico. É revoltante comparar a vida de um embrião de dez dias, que não tem sistema nervoso, com a vida de um jovem aleijado ou com alguém com doença de Parkinson. São células-tronco tiradas do cordão umbilical que iriam fatalmente para o lixo. É o mesmo tipo de argumento usado contra plantas transgênicas, que aumentariam a produção de alimentos e ajudariam a combater uma fome catastrófica que está rondando o mundo.

Quem é contra células-tronco tem a teimosia como iluminação, tem a ignorância como fé. No Supremo Tribunal Federal, o parecer do ministro Carlos Ayres de Britto foi definitivo, brilhante. Disse ele: "A morte cerebral de pessoas em estado vegetativo permite a doação de órgãos. Os embriões de quatorze dias não têm cérebro. Por que não podem ser doadores de vida também?". É perfeito, irrespondível. Estamos no século XXI, e não no Concílio de Trento, em 1545.

25-4-2008

A MISSÃO

O Supremo Tribunal Federal julga a polêmica sobre o uso de células-tronco embrionárias que, se não usadas, vão para o lixo. Contra a ciência e a inteligência, luta a superstição. Porque vivemos em um país que, para além dos males sociais e políticos do Estado e da sociedade, da injustiça, da miséria e da fome, tem outro tipo de atraso, mais abstrato – é a desinformação, a incultura. Elas são geradas pela miséria e pela lentidão do crescimento.

Por trás da corrupção e da violência, há fortes componentes de ignorância, do egoísmo típico da barbárie. A miséria gera atraso mental e é até fonte de grandes lucros, como vemos nos supermercados da fé, com algumas empresas evangélicas explorando o desespero humano.

Diante de outros poderes, o Supremo Tribunal Federal apresenta uma diferença: seus membros são pessoas quase obrigadas a ter uma sólida cultura humanística e filosófica. No caso das células-tronco, é tudo tão evidentemente a favor do bem, tão claramente explicado pelos cientistas, que não aceitar esse fato seria o mesmo que acreditar não ter havido evolução das espécies, que Darwin era uma besta e que o mundo nasceu pronto, com Adão e Eva namorando sob as ordens da serpente, como querem os criacionistas.

Além de decidir o que é ou não constitucional em um país dominado pela ignorância, o Supremo Tribunal Federal deve ter também uma missão civilizatória.

3-5-2008

SIM
À VIDA

Hoje é o primeiro dia de uma nova época. Saímos ontem da Idade Média: as bruxas foram vencidas, os caldeirões entornaram, os idiotas continuarão a babar nas gravatas, mas houve uma vitória da inteligência que nos coloca mais perto do mundo moderno. O Supremo Tribunal Federal aprovou a pesquisa com células-tronco de embriões humanos. Isso significa um grande avanço para os que sofrem, os paralíticos, os trêmulos, os frágeis, os que lutam para existir, e não mais uma vitória daqueles que vivem cantando regras ou decretando dogmas, que sorriem cruelmente com suas certezas burras, com suas superstições seculares ou milenares.

Os homens que pensam estar ao lado de Deus e da vida, impedindo o progresso da ciência em coisa tão obviamente importante, não estão do lado da vida, não. Eles têm uma visão de Deus inteiramente proibitiva, como se Deus fosse um severo senhor que tudo impede, que lança maldições e punições e raios, um Deus que não quer que a vida floresça. Esse Deus não é o verdadeiro Deus: o verdadeiro Deus está na ciência, na luta pela felicidade e pela saúde. Esse é Deus, e não um inquisidor triste tão difundido pelos paranoicos.

O Supremo Tribunal Federal também nos deu uma lição de história nova. São onze homens com cultura e formação humanista, jurídica, que têm quase o dever de aperfeiçoar as instituições da República, além de defender a Constituição. Fiquei feliz porque uma nova fase se desenha para o Supremo Tribunal Federal, uma fase mais positiva, que estimula o progresso – até porque o STF não é apenas um tribunal do "não", do que não pode, da punição ao novo. Essa tendência jurídica já se vê nos países desenvolvidos e, aqui no Brasil, é fundamental, principalmente quando vemos o Congresso poluído com enxames de foragidos ou processados – e a sucessão de mentiras e escândalos que não são punidos. O Supremo Tribunal Federal nos deu um exemplo de seriedade e de respeito à vida e à inteligência. O restante é superstição e ignorância.

30-5-2008

FÉ
NO CAPITAL

Estamos vivendo o caos da economia mundial. E a história da loucura financeira se repete. Já aconteceu durante a Grande Depressão americana de 1929, quando houve uma chuva de suicidas caindo dos edifícios de Nova York, em 1987, em 2000.

No século XVII, houve a famosa bolha especulativa das tulipas, na Holanda. Uma incrível valorização dessas lindíssimas flores, quando um único bulbo chegou a valer 25 mil euros de hoje. Essa época inventou o mercado futuro, o mercado de opções, o enganoso mundo do papel, a fé do lucro fácil, que depois se esboroou em uma tragédia financeira.

O grande economista americano John Galbraith analisou essa doideira em seu livro *Uma breve his-*

tória da economia financeira. Ali, dizia que a memória financeira das pessoas é curtíssima na crença de ganhar muito sem a produção concreta de bens; no papel, dinheiro vende dinheiro.

Essa fé religiosa no capital cria uma psicose de euforia nas pessoas que as faz odiar os sensatos, chamados de chatos, porque elas se tornam mais idiotas quando estão mais felizes, disse Galbraith. Depois, o especialista mostrou que a economia não é pura. A economia é política, é histórica, é psicológica, é humana.

Mestres do universo de Wall Street são os mais otimistas e os que estimulam o delírio dos investidores, que acham o mercado livre uma verdade imexível, eterna, acima da vida. Deu no que deu. Não intervieram antes e agora estão intervindo depois. Essa crise vai custar trilhões, muito mais do que a guerra no Iraque. Mais um feito da era da estupidez bushiana. Senhoras e senhores, mercado livre é um *cazzo*.

18-9-2008

PIRATAS DE TODOS OS MARES

Os piratas continuam a atacar no norte da África, nas costas da Somália, um país que tecnicamente acabou na absoluta anarquia política. Sequestram navios cargueiros, petroleiros, e ameaçam explodi-los. É mais uma amostra da nova desordem mundial, da criminalidade global, como o terrorismo islâmico da Al Qaeda, que usa as armas da tecnologia dos países desenvolvidos contra o Ocidente. Os piratas da Somália já conseguiram milhões de dólares de resgate e têm um armamento que vai até obuses antitanques. Não há mais piratas de perna-de-pau.

Esta é uma das novidades do século XXI: a miséria armada, o crime desesperado que não tem nada a perder, desde as águas da África até os morros cariocas.

Dissolvem-se, hoje, as palavras sagradas do Ocidente: estabilidade democrática, controle da sociedade, lei, razão. Os civilizados estão pirados, seus conceitos não se aplicam mais ao caos do mundo. Aliás, vamos botar a bola no chão – que moral têm os países desenvolvidos e seus governos depois da pirataria que o sistema financeiro nos aplicou? Com que cara Wall Street pode condenar os negões que sequestram petroleiros?

Aqui, apenas uma lembrancinha: a marinha britânica, que dominou os mares do século XVII em diante, foi criada por piratas e legitimada pela rainha Elizabeth I. Quem combateu a armada espanhola? O heroico comandante Frances Drake, que era pirata.

E o Caribe, que já foi porto seguro de flibusteiros do passado? Abriga, hoje, piratas em seus paraísos fiscais. É a beleza da tradição. O mundo está entregue novamente aos piratas de todos os mares.

23-12-2008

Edição e preparação
Ana Tereza Clemente

Revisão
Vivien Hermes

Capa, projeto gráfico e editoração eletrônica
Marina Mayumi Watanabe

Foto do autor
Bruno Veiga

Editora Globo S.A.
Av. Jaguaré, 1.485
São Paulo, SP, Brasil
CEP 05346-902
www.globolivros.com.br

CIP – Brasil. Catalogação na Fonte
Sindicato Nacional dos Editores de Livros, RJ

J12a

Jabor, Arnaldo, 1940-
Amigos ouvintes / Arnaldo Jabor. – São Paulo : Globo, 2009. (CBN Livros; 1)

Coletânea de comentários apresentados diariamente na Rádio CBN
ISBN 978-85-250-4779-3

1. Crônica brasileira. I. Título. II. Série.

09-5484. CDD: 869.98 CDU: 821.134.3(81)-8
20.10.09 26.10.09 015862

1ª edição, 2009

Texto fixado conforme as regras do Novo Acordo Ortográfico da Língua Portuguesa (Decreto Legislativo n.º 54, de 1995).

Este livro, composto nas fontes
Fairfield e Helvética, foi impresso em
Pólen soft 80 g na Prol Editora Gráfica.
São Paulo, Brasil, primavera de 2009.